FOLIO   PLUS

Albert Cohen

Le livre
de ma mère

Gallimard

I

Chaque homme est seul et tous se fichent de tous et nos douleurs sont une île déserte. Ce n'est pas une raison pour ne pas se consoler, ce soir, dans les bruits finissants de la rue, se consoler, ce soir, avec des mots. Oh, le pauvre perdu qui, devant sa table, se console avec des mots, devant sa table et le téléphone décroché, car il a peur du dehors, et le soir, si le téléphone est décroché, il se sent tout roi et défendu contre les méchants du dehors, si vite méchants, méchants pour rien.

Quel étrange petit bonheur, triste et boitillant mais doux comme un péché ou une boisson clandestine, quel bonheur tout de même d'écrire en ce moment, seul dans mon royaume et loin des salauds. Qui sont les salauds ? Ce n'est pas moi qui vous le dirai. Je ne veux pas d'histoires avec les gens du dehors. Je ne veux pas qu'on vienne troubler ma fausse paix et m'empêcher d'écrire quelques pages par dizaines ou centaines selon

7

que ce cœur de moi qui est mon destin décidera. J'ai résolu notamment de dire à tous les peintres qu'ils ont du génie, sans ça ils vous mordent. Et, d'une manière générale, je dis à chacun que chacun est charmant. Telles sont mes mœurs diurnes. Mais dans mes nuits et mes aubes je n'en pense pas moins.

Somptueuse, toi, ma plume d'or, va sur la feuille, va au hasard tandis que j'ai quelque jeunesse encore, va ton lent cheminement irrégulier, hésitant comme en rêve, cheminement gauche mais commandé. Va, je t'aime, ma seule consolation, va sur les pages où tristement je me complais et dont le strabisme morosement me délecte. Oui, les mots, ma patrie, les mots, ça console et ça venge. Mais ils ne me rendront pas ma mère. Si remplis de sanguin passé battant aux tempes et tout odorant qu'ils puissent être, les mots que j'écris ne me rendront pas ma mère morte. Sujet interdit dans la nuit. Arrière, image de ma mère vivante lorsque je la vis pour la dernière fois en France, arrière, maternel fantôme.

Soudain, devant ma table de travail, parce que tout y est en ordre et que j'ai du café chaud et une cigarette à peine commencée et que j'ai un briquet qui fonctionne et que ma plume marche bien et que je suis près du feu et de ma chatte, j'ai un moment de bonheur si grand qu'il m'émeut. J'ai pitié de moi, de cette enfantine capacité d'immense joie qui ne présage rien de bon. Que j'ai pitié de me voir si content à cause d'une plume qui marche bien, pitié de ce pauvre bougre de cœur qui veut s'arrêter de souffrir et s'accrocher à quelque raison d'aimer pour vivre. Je suis, pour quelques minutes, dans une petite oasis bourgeoise que je savoure. Mais un malheur est dessous, permanent, inoubliable. Oui, je savoure d'être, pour quelques minutes, un bourgeois, comme eux. On aime être ce qu'on n'est pas. Il n'y a pas plus artiste qu'une vraie bourgeoise qui écume devant un poème ou entre en transe, une mousse aux lèvres, à la vue d'un Cézanne et prophétise en son petit jargon, chipé çà et là et même pas compris, et elle parle de masses et de volumes et elle dit que ce rouge est si sensuel. Et ta sœur, est-ce qu'elle est sensuelle ? Je ne sais plus où j'en suis. Faisons donc en marge un petit dessin appeleur d'idées, un dessin réconfort, un petit dessin neurasthénique, un dessin lent, où l'on met des décisions, des projets, un petit dessin, île étrange et pays de l'âme, triste oasis des réflexions qui en suivent les courbes, un petit dessin à peine fou, soigné, enfantin, sage et filial. Chut, ne la réveillez pas, filles de Jérusalem[1] * ne la réveillez pas pendant qu'elle dort.

* Les notes sont établies par Michel Bigot et sont regroupées en fin de volume, p. 147-151.

Qui dort? demande ma plume. Qui dort, sinon ma mère éternellement, qui dort, sinon ma mère qui est ma douleur? Ne la réveillez pas, filles de Jérusalem, ma douleur qui est enfouie au cimetière d'une ville dont je ne dois pas prononcer le nom, car ce nom est synonyme de ma mère enfouie dans de la terre. Va, plume, redeviens cursive et non hésitante, et sois raisonnable, redeviens ouvrière de clarté, trempe-toi dans la volonté et ne fais pas d'aussi longues virgules, cette inspiration n'est pas bonne. Âme, ô ma plume, sois vaillante et travailleuse, quitte le pays obscur, cesse d'être folle, presque folle et guidée, guindée morbidement. Et toi, mon seul ami, toi que je regarde dans la glace, réprime les sanglots secs et, puisque tu veux oser le faire, parle de ta mère morte avec un faux cœur de bronze, parle calmement, feins d'être calme, qui sait, ce n'est peut-être qu'une habitude à prendre? Raconte ta mère à leur calme manière, sifflote un peu pour croire que tout ne va pas si mal que ça, et surtout souris, n'oublie pas de sourire. Souris pour escroquer ton désespoir, souris pour continuer de vivre, souris dans ta glace et devant les gens, et même devant cette page. Souris avec ton deuil plus haletant qu'une peur. Souris pour croire que rien n'importe, souris pour te forcer à feindre de vivre, souris sous l'épée suspendue de la mort de ta mère, souris toute ta vie à en crever et jusqu'à ce que tu en crèves de ce permanent sourire.

II

L'après-midi du vendredi, qui est chez les Juifs le commencement du saint jour de sabbat[2], elle se faisait belle et ornée, ma mère. Elle mettait sa solennelle robe de soie noire et ceux de ses bijoux qui lui restaient encore. Car j'étais prodigue en ma rieuse adolescence et je donnais des billets de banque aux mendiants lorsqu'ils étaient vieux et avaient une longue barbe. Et si un ami aimait mon étui à cigarettes, l'étui d'or était à lui. Elle avait vendu à Genève, lorsque j'étais un étudiant aux noirs hymnes indisciplinés sur ma tête et que j'avais un beau cœur quelque peu fou quoique tendre, elle avait vendu ses plus nobles bijoux dont elle était si fière, ma chérie, et qui étaient nécessaires à sa naïve dignité de fille de notables d'un âge disparu. Tant de fois, toujours roulée par les bijoutiers, elle avait vendu pour moi de ses bijoux, en cachette de mon père dont la sévérité nous effrayait, elle et moi, et nous faisait complices. Je la revois sortant de cette bijouterie de Genève, si fière de la pauvre grande somme d'argent qu'elle avait obtenue pour moi, heureuse, bouleversante de bonheur, heureuse d'avoir vendu pour moi ses chers pendants d'oreilles, ses bagues et ses perles qui étaient ses décorations de caste, son honneur de dame d'Orient. Si heureuse, ma chérie qui marchait déjà péniblement, déjà guettée par la mort. Si heureuse de se dépouiller pour moi, de me donner les billets de banque qui, en quelques jours, allaient flamber dans mes jeunes et prestes mains, rapides à donner. Je prenais, fol et ensoleillé et peu préoccupé de ma mère, car j'avais d'éblouissantes dents acérées et j'étais l'amant aimé quoique aimant d'une belle jeune fille et de cette autre et ainsi infiniment dans les miroirs réfléchissants du château de l'amour. O curieuses pâleurs de mes amours défuntes. Je prenais les billets de banque et je ne savais pas, fils que j'étais, que ces humbles grosses sommes étaient l'offrande de ma mère sur l'autel de maternité. O prêtresse de son fils, ô majesté que je fus trop longtemps à reconnaître. Trop tard maintenant.

Chaque sabbat, à Marseille, où je venais, de Genève, passer mes vacances, ma mère nous attendait, mon père et moi, qui allions revenir de la synagogue avec les brins de myrte[3] à la main. Ayant fini d'orner pour le sabbat son humble appartement qui était son juif royaume et sa pauvre patrie, elle était assise, ma mère, toute seule, devant la table cérémonieuse du sabbat et, cérémonieuse, elle attendait son fils et son mari.

Assise et se forçant à une sage immobilité pour ne point déranger sa belle parure, émue et guindée d'être dignement corsetée, émue d'être bien habillée et respectable, émue de plaire bientôt à ses deux amours, son mari et son fils, dont elle allait entendre bientôt les pas importants dans l'escalier, émue de ses cheveux bien ordonnés et lustrés d'antique huile d'amandes douces, car elle était peu roublarde en toilette, émue comme une petite fille de distribution de prix, ma vieillissante mère attendait ses deux buts de vie, son fils et son mari.

Assise sous mon portrait de quinze ans qui était son autel, mon affreux portrait qu'elle trouvait admirable, assise devant la table du sabbat et les trois bougies allumées[4], devant la table de fête qui était déjà un morceau du royaume du Messie, ma mère avait une respiration satisfaite mais un peu pathétique car ils allaient arriver, ses deux hommes, les flambeaux de sa vie. Oh oui! se réjouissait-elle, ils trouveraient l'appartement si propre et luxueux en ce sabbat, ils la complimenteraient sur l'ordre éblouissant de son appartement, et ils la complimenteraient aussi sur l'élégance de sa robe. Son fils, qui n'avait jamais l'air de regarder mais qui voyait tout, lancerait un rapide coup d'œil sur cette nouvelle collerette et ces nouveaux poignets de dentelle et, oui, certainement, ces transformations auraient son importante approbation. Et elle était déjà fière, elle préparait déjà ce qu'elle allait leur dire, peut-être avec quelques innocentes exagérations sur ses rapidités et prouesses domestiques. Et ils verraient quelle femme capable elle était, quelle reine de maison. Telles étaient les ambitions de ma mère.

Elle restait là, assise et toute amour familial, à leur énumérer déjà en pensée tout ce qu'elle avait cuisiné et lavé et rangé. De temps à autre, elle allait à la cuisine faire, de ses petites mains où brillait une auguste alliance, d'inutiles et gracieux tapotements artistes avec la cuiller de bois sur les boulettes de viande qui mijotaient dans le coulis grenat des tomates. Ses petites mains potelées et de peau si fine, dont je la complimentais avec un peu d'hypocrisie et beaucoup d'amour, car son naïf contentement me ravissait. Elle était si adroite pour la cuisine, si maladroite pour tout le reste. Mais dans sa cuisine, où elle gardait son pimpant de vieille dame, quel fameux capitaine résolu elle était. Naïfs tapotements de ma mère en sa cuisine, tapotements de la cuiller sur les boulettes, ô rites, sages tapotements tendres et mignons, absurdes et inefficaces, si aimants et satisfaits, et qui disiez son âme rassérénée de voir que tout allait bien, que les boulettes étaient parfaites et seraient approuvées par ses deux difficiles, ô très avisés et nigauds tapotements à jamais disparus, tapotements de ma mère qui toute seule imperceptiblement souriait en sa cuisine, grâce gauche et majestueuse, majesté de ma mère.

14

Revenue de la cuisine, elle allait s'asseoir, très sage en sa domestique prêtrise, satisfaite de son pauvre petit convenable destin de solitude, uniquement ornée de son mari et de son fils dont elle était la servante et la gardienne. Cette femme, qui avait été jeune et jolie, était une fille de la Loi de Moïse[5], de la Loi morale qui avait pour elle plus d'importance que Dieu. Donc, pas d'amours amoureuses, pas de blagues à l'Anna Karénine[6]. Un mari, un fils à guider et à servir avec une humble majesté. Elle ne s'était pas mariée par amour. On l'avait mariée et elle avait docilement accepté. Et l'amour biblique était né, si différent de mes occidentales passions. Le saint amour de ma mère était né dans le mariage, avait crû avec la naissance du bébé que je fus, s'était épanoui dans l'alliance avec son cher mari contre la vie méchante. Il y a des passions tournoyantes et ensoleillées. Il n'y a pas de plus grand amour.

Lors d'un sabbat auquel je pense maintenant, elle était assise en son attente, satisfaite d'elle-même et de la bonne mine qu'avait son fils ce matin, et elle complotait une pâte d'amandes à lui préparer dimanche. « Je la ferai un peu plus cuite que la dernière fois », pensait-elle. Et lundi, oui, elle lui ferait un gâteau de maïs avec beaucoup de raisins de Corinthe. Très bien. Soudain, regardant la pendule et s'apercevant qu'il était déjà huit heures du soir, elle s'épouvanta avec trop d'expression et peu de cette maîtrise qui est l'apanage des peuples sûrs du lendemain et habitués au bonheur. Ils avaient dit qu'ils seraient de retour à sept heures. Un accident ? Écrasés ? Le front moite, elle alla vérifier l'heure au chronomètre de la chambre à coucher. Six heures cinquante seulement. Sourire à la glace et remerciements au Dieu d'Abraham, d'Isaac et de Jacob[7]. Mais en fermant la porte de la chambre à coucher, sa main effleura la pointe d'un clou. Tétanos ! Vite, teinture d'iode ! Les Juifs aiment un peu trop la vie. Elle eut peur de la mort et elle pensa à la chemise de la nuit de noces qu'on lui remettrait le jour de sa mort, la terrible chemise qui était enfermée dans le dernier tiroir de son armoire, tiroir effrayant qu'elle n'ouvrait jamais. Malgré sa religion, elle croyait peu à la vie éternelle. Mais soudain l'animation de vivre revint, car elle venait d'entendre au bas de l'escalier les pas émouvants des deux aimés.

Un dernier regard au miroir, pour ôter les dernières traces de la poudre de riz qu'en ce jour de fête elle mettait en secret et avec un grand sentiment de péché, une naïve poudre blanche de Roger et Gallet, qui s'appelait, je crois, « Vera Violetta ». Et vite elle allait ouvrir la porte, assujettie par une chaîne de sûreté, car on ne sait jamais et les souvenirs des pogromes sont tenaces. Vite préparer l'entrée des deux précieux. Telle était la vie passionnelle de ma sainte mère. Peu Hollywood, comme vous voyez. Les compliments de son mari et de son fils et leur bonheur, c'était tout ce qu'elle demandait de la vie.

Elle ouvrait la porte sans qu'ils eussent eu à frapper. Le père et le fils ne s'étonnaient pas de cette porte qui s'ouvrait magiquement. Ils avaient l'habitude et ils savaient que cette guetteuse d'amour était toujours à l'affût. Oui, à l'affût et tellement que ses yeux, guetteurs de ma santé et de mes soucis, m'indisposaient parfois. Obscurément, je lui en voulais de trop surveiller et deviner. O sainte sentinelle perdue à jamais. Devant la porte ouverte, elle souriait, émue, digne, presque coquette. Comme je la revois lorsque j'ose et comme les morts sont vivants. « Bienvenus », nous disait-elle avec une timide et sentencieuse dignité, désireuse de plaire, émue d'être digne et embellie de sabbat. « Bienvenus, paisible sabbat », nous disait-elle. Et de ses mains levées, écartées en rayons, elle me bénissait sacerdotalement et regardait, presque animalement, avec une attention de lionne, si j'étais toujours en bonne santé ou, humainement, si je n'étais pas triste ou soucieux. Mais tout était bien ce jour-là et elle aspirait l'odeur du myrte traditionnel que nous lui apportions. Elle frottait les brins entre ses petites mains et elle en humait l'odeur un peu théâtralement, comme il convient aux gens de notre tribu orientale. Elle était alors si jolie, ma vieille Maman qui se mouvait avec peine, ma Maman.

III

Ce que je viens de me raconter, c'est un souvenir du temps où ma mère était déjà vieille et où j'étais un adulte, déguisé en fonctionnaire international. Je venais, de Genève, passer une partie de mes vacances à Marseille, chez mes parents. Ma mère était heureuse de ce que son fils, qui avait, pensait-elle avec beaucoup d'exagération, une si noble situation chez les Gentils[8], acceptât de bon cœur d'aller chaque sabbat à la synagogue de Marseille. Je l'entends qui me parle.

« Dis-moi, mon fils, à Genève, montes-tu aussi à la Maison de l'Éternel[9]? Tu devrais, je t'assure. Notre Dieu est très grand, tu sais, et c'est un Dieu saint, c'est le vrai Dieu, il nous a sauvés du Pharaon[10], c'est un fait connu et la Bible le dit. Écoute, mon fils, même si tu ne crois pas en notre Dieu, à cause de tous ces savants, maudits soient-ils, eux et leurs chiffres, va tout de même un peu à la synagogue, supplia-t-elle gentiment, fais-le pour moi. » Au fond, en ma participation, même athée, aux cérémonies religieuses, elle voyait surtout une assurance contre les bronchites dont j'étais atteint chaque hiver.

« Et dis-moi, mes yeux, cette situation que tu as en ce Bureau International du Travail, comment s'appelle-t-elle, cette situation ? (« Attaché à la Division diplomatique », répondis-je. Elle rayonna.) Par conséquent, les douaniers ne peuvent rien contre toi, je suppose ? Tu passes et ils s'inclinent. Quelle merveille du monde ! Dieu soit loué qui m'a donné de vivre jusqu'en ce jour ! Si ton grand-père de bonne mémoire, qu'il repose en paix, si ton grand-père vivait, comme il serait content ! Parce que même lui, le notaire royal de Corfou, le révéré, eh bien, il devait ouvrir ses valises à la douane. C'était un homme de savoir, tu aurais eu du plaisir à causer avec lui. Alors demain, si tu veux, je te ferai du nougat au sésame. Fortifie-toi, mon chéri, pendant que tu es chez nous. Dieu sait quelles nourritures mal lavées ils te donnent dans ces restaurants de luxe de Genève ! Dis, mon enfant, à Genève, tu ne manges pas de l'Innommable ? (Traduction : porc.) Enfin, si tu en manges, ne me le dis pas, je ne veux pas savoir. »

« Et maintenant, mon fils, écoute ma parole,

car les vieilles femmes sont de bon conseil. En cette Division de la Diplomatie, tu as un chef, je pense? Eh bien, s'il te dit quelquefois un mot de trop, ne te mets pas en colère, supporte un peu, parce que si tu lui réponds mal, la bile lui monte à la cervelle et il te hait et Dieu sait quelle langue de vipère il a et quel poignard il prépare pour ton dos! Que veux-tu, nous devons supporter, nous autres. Il te va bien, ce chapeau. » Et comme je souriais, elle ajouta en soupirant : « Comment pourraient-elles, les malheureuses, résister à ce sourire? » Partiale, elle me scrutait tendrement, imaginait ma vie passionnelle, craignait pour moi des coups de revolver de ces filles des Gentils, si belles et instruites, mais jalouses et hardies, et qui avaient la manie, emportées par leur passion, de vous tuer un fils en quelques secondes, pour un oui ou pour un non. Redoutables, ces filles de Baal[11] qui ne craignaient pas, on le lui avait affirmé, de se mettre nues devant un homme qui n'était pas leur mari. Toutes nues et fumant une cigarette! De vraies lionnes! « Dis-moi, mon enfant, ne penses-tu pas que ce serait une bonne chose que tu ailles faire une petite visite au Grand Rabbin? Il connaît de bonnes jeunes filles paisibles, bonnes maîtresses de maison. Cela ne t'engage à rien. Tu les vois, si elles ne te plaisent pas, tu remets ton chapeau et tu t'en vas. Mais, qui sait, peut-être que Dieu t'en a destiné une? Il n'est pas bon, tu sais, que l'homme vive seul[12]. Je voudrais mourir tranquille, savoir que tu as une vertueuse personne auprès de toi. » Devant mon silence, elle soupira, tâcha de repousser l'image d'un revolver brusquement surgi du sac à main d'une lionne à demi nue et elle s'en remit à l'Éternel, au Puissant de Jacob, qui avait tiré le prophète Daniel[13] de la fosse aux lions. Il me sauverait bien des lionnes. Elle se promit d'aller à la synagogue plus souvent.

Elle était déjà vieille en ce temps-là, petite, et de quelque embonpoint. Mais ses yeux étaient magnifiques et ses mains étaient mignonnes et j'aimais baiser ses mains. Je voudrais relire les lettres qu'elle m'écrivait de Marseille avec sa petite main, mais je ne peux pas. J'ai peur de ces signes vivants. Lorsque je rencontre ses lettres, je ferme les yeux et je les range, les yeux fermés. Je n'ose pas non plus regarder ses photographies, où je sais qu'elle pense à moi.

« Moi, mon fils, je n'ai pas étudié comme toi, mais l'amour qu'on raconte dans les livres, c'est des manières de païens. Moi je dis qu'ils jouent la comédie. Ils ne se voient que quand ils sont bien coiffés, bien habillés, comme au théâtre. Ils s'adorent, ils pleurent, ils se donnent de ces abominations de baisers sur la bouche, et un an après ils divorcent! Alors, où est l'amour? Ces mariages qui commencent par l'amour, c'est mauvais signe. Ces grands amoureux, dans les histoires qu'on lit, je me demande s'ils continueraient à aimer leur poétesse si elle était très malade, toujours au lit, et qu'il soit obligé, l'homme, de lui donner les soins qu'on donne aux bébés, enfin tu me comprends, des soins déplaisants. Eh bien, moi je crois qu'il ne l'aimerait plus. Le vrai amour, veux-tu que je te dise, c'est l'habitude, c'est vieillir ensemble. Tu les veux avec des petits pois ou avec des tomates, les boulettes ? »

« Mon fils, explique-moi ce plaisir que tu as à aller à la montagne. Quel plaisir, toutes ces vaches avec leurs cornes aiguisées, avec leurs gros yeux qui vous regardent ? Quel plaisir, toutes ces pierres ? Tu risques de tomber, alors quel plaisir ? Es-tu un mulet pour aller sur ces pierres du vertige ? N'est-ce pas mieux d'aller à Nice, où il y a des jardins, de la musique, des taxis, des magasins ? Les hommes sont faits pour vivre en hommes et non dans les pierres, comme les serpents. Cette montagne où tu vas, c'est comme un repaire de bandits. Es-tu un Albanais ? Et comment peux-tu aimer toute cette neige ? Quel plaisir de marcher sur ce bicarbonate qui te mouille les souliers ? Mon cœur tremble comme un petit oiseau quand je vois ces skis dans ta chambre. Ces skis sont des cornes du diable. Se mettre des yatagans aux pieds, quelle folie ! Ne sais-tu pas que tous ces démons skieurs se cassent les jambes ? Ils aiment cela, ce sont des païens, des inconsidérés. Qu'ils se cassent les jambes, si c'est leur plaisir, mais toi tu es un Cohen[14], de la race d'Aaron, le frère de Moïse notre maître. » Je lui rappelai alors que Moïse était allé sur le Mont Sinaï. Elle resta interloquée. Évidemment, le précédent était de taille. Elle réfléchit un instant, puis elle m'expliqua que le Sinaï n'était qu'une toute petite montagne, que d'ailleurs Moïse n'y était allé qu'une fois, et qu'au surplus il n'y était pas allé pour son plaisir mais pour voir Dieu.

IV

Elle ne parle plus, celle qui parlait si gentiment. Elle est piteusement finie. On l'a ôtée de mes bras comme en rêve. Elle est morte pendant la guerre, en France occupée, tandis que j'étais à Londres. Tous ses espoirs de vieillesse auprès de moi pour en venir à cette fin, la peur des Allemands, l'étoile jaune, mon inoffensive, la honte dans la rue, la misère peut-être, et son fils loin d'elle. A-t-on su lui cacher qu'elle allait mourir et ne plus me revoir ? Elle l'a tant répétée, dans ses lettres, cette joie du revoir. Paraît qu'il faut louer Dieu et Le remercier de Ses bienfaits.

On l'a soulevée, muette, et elle ne s'est pas débattue, celle qui s'était tant affairée dans sa cuisine. On l'a soulevée de ce lit où elle avait tant songé à son fils, tant attendu les lettres de son fils, tant rêvé des cauchemars où son fils était en péril. On l'a soulevée, raidie, on l'a enfermée et puis on a vissé la boîte. Enfermée comme une chose dans

25

une boîte, une chose que deux chevaux ont emportée, et les gens dans la rue ont continué à faire leurs achats.

On l'a descendue dans un trou et elle n'a pas protesté, celle qui parlait avec tant d'animation, ses petites mains toujours en mouvement. Et maintenant, elle est silencieuse sous la terre, enfermée dans la geôle terreuse avec interdiction d'en sortir, prisonnière et muette dans sa solitude de terre, avec de la terre suffocante et si lourde inexorablement au-dessus d'elle dont les petites mains jamais plus, jamais plus ne bougeront. Une pancarte de l'Armée du Salut m'a informé hier que Dieu m'aime.

Toute seule là-dessous, la pauvre inutile dont on s'est débarrassé dans de la terre, toute seule, et on a eu la gentille pensée de lui mettre dessus une lourde dalle de marbre, un presse-mort, pour être bien sûr qu'elle ne s'en ira pas.

Sous terre, ma bien-aimée, tandis que bouge ma main faite par elle, ma main qu'elle baisait, sous terre, l'ancienne vivante, allongée mainte-nant en grande oisiveté, pour toujours immobile, celle qui en sa jeunesse virginale dansa de pudiques mazurkas rieuses. Fini, fini, plus de Maman, jamais. Nous sommes bien seuls tous les deux, toi dans ta terre, moi dans ma chambre. Moi, un peu mort parmi les vivants, toi, un peu vivante parmi les morts. En ce moment, tu souris peut-être imperceptiblement parce que j'ai moins mal à la tête.

V

Pleurer sa mère, c'est pleurer son enfance. L'homme veut son enfance, veut la ravoir, et s'il aime davantage sa mère à mesure qu'il avance en âge, c'est parce que sa mère, c'est son enfance. J'ai été un enfant, je ne le suis plus et je n'en reviens pas. Soudain, je me rappelle notre arrivée à Marseille. J'avais cinq ans. En descendant du bateau, accroché à la jupe de Maman coiffée d'un canotier orné de cerises, je fus effrayé par les trams, ces voitures qui marchaient toutes seules. Je me rassurai en pensant qu'un cheval devait être caché dedans.

Nous ne connaissions personne à Marseille où, de notre île grecque de Corfou, nous avions débarqué comme en rêve, mon père, ma mère et moi, comme en un rêve absurde, un peu bouffon. Pourquoi Marseille? Le chef de l'expédition lui-même n'en savait rien. Il avait entendu dire que Marseille était une grande ville. La première action d'éclat de mon pauvre père fut, quelques jours après notre arrivée, de se faire escroquer totalement par un homme d'affaires tout blond et dont le nez n'était pas crochu. Je revois mes parents qui pleuraient dans la chambre d'hôtel, assis sur le rebord du lit. Les larmes de Maman tombaient sur le canotier à cerises, posé sur ses genoux. Je pleurais aussi, sans comprendre ce qui était arrivé.

Peu après notre débarquement, mon père m'avait déposé, épouvanté et ahuri, car je ne savais pas un mot de français, dans une petite école de sœurs catholiques. J'y restais du matin au soir, tandis que mes parents essayaient de gagner leur vie dans ce vaste monde effrayant. Parfois, ils devaient partir si tôt le matin qu'ils n'osaient pas me réveiller. Alors, lorsque le réveil sonnait à sept heures, je découvrais le café au lait entouré de flanelles par ma mère qui avait trouvé le temps, à cinq heures du matin, de me faire un petit dessin rassurant qui remplaçait son baiser et qui était posé contre la tasse. J'en revois de ces dessins : un bateau transportant le petit Albert, minuscule à côté d'un gigantesque nougat tout pour lui ; un éléphant appelé Guillaume, transportant sa petite amie, une fourmi qui répondait au doux nom de Nastrine ; un petit hippopotame qui ne voulait pas finir sa soupe ; un poussin de vague aspect rabbinique qui jouait avec un lion. Ces jours-là, je déjeunais seul, devant la photographie

29

de Maman qu'elle avait mise aussi près de la tasse pour me tenir compagnie. Je déjeunais en pensant au joli Paul qui était mon idéal, mon ami intime, à telles enseignes que, lui ayant demandé de venir un jeudi à la maison, je lui avais donné avec enthousiasme tous nos couverts d'argent qu'il avait froidement acceptés. Ou bien je me racontais des aventures et comme quoi je sauvais la France en galopant à la tête d'un régiment. Je me revois coupant le pain tout en sortant consciencieusement la langue, ce qui me paraissait indispensable à une coupe nette. Je me rappelle qu'en quittant l'appartement je fermais la porte au lasso. J'avais cinq ou six ans et j'étais de très petite taille. Le pommeau de la porte étant très haut placé, je sortais une ficelle de ma poche, je visais le pommeau en fermant un œil et, lorsque j'avais attrapé la boule de porcelaine, je tirais à moi. Comme mes parents me l'avaient recommandé, je frappais ensuite plusieurs fois contre la porte pour voir si elle était bien fermée. Ce tic m'est resté.

À l'école des sœurs catholiques, l'enseignement était gratuit. Il y avait deux menus à midi, le menu à un sou pour pauvres, du riz, et le menu à trois sous pour riches, du riz et une minuscule saucisse. Je regardais de loin le menu pour riches que je ne pouvais dévorer que des yeux. Quand j'avais trois sous, c'était Paul, nature de froid séducteur, qui dégustait le repas des riches.

Je me rappelle qu'en cette école des sœurs catholiques, la Mère Supérieure, toujours armée de grandes castagnettes disciplinaires qui rythmaient nos malingres défilés dans les couloirs phéniqués et qu'on appelait des claquoirs, soupirait parfois de regret en considérant le joli enfant que j'étais, attentif à préparer la charpie d'hôpital qui constituait notre principale matière d'enseignement, ou absorbé à se fabriquer d'immondes truffes. Ces truffes, je les obtenais en laissant fondre deux barres de chocolat Menier dans ma main bien fermée. Et je secouais idiotement cette main pour favoriser censément l'opération, dont l'issue était une ignoble pâtée qui finissait par camoufler de stries brunes mon visage et mon costume, une crétine bouillie que je partageais avec mes condisciples admiratifs qui venaient la brouter dans ma main et que nous baptisions « Délices de Monseigneur l'Évêque ». Oui, la Mère Supérieure, pour laquelle je nourrissais une respectueuse flamme, soupirait en regardant mes boucles noires et murmurait parfois : « Comme c'est dommage », faisant ainsi allusion à mon origine juive.

J'étais paradoxalement le préféré des douces sœurs catholiques. Elles me donnaient des leçons de maintien, me recommandaient d'avoir une contenance modeste et de ne jamais balancer mes bras dans la rue, comme un mondain. Tout persuadé et admiratif, bien décidé à ne pas pactiser avec le Malin, orné d'un immense nœud lavallière qui me couvre maintenant de confusion, je me faisais un devoir de marcher dans la rue comme les bonnes sœurs me recommandaient, c'est-à-dire les mains dévotement jointes et, vrai petit crétin, les yeux baissés comme en perpétuelle prière. Ce qui avait pour résultat de me faire, tout confit, constamment bousculer par des passants ou encore de me faire railler et traiter de calotin par les vilains de l'école laïque qui me lançaient des pierres, reçues par moi en martyr de mes chères sœurs catholiques à qui leur Albert envoie aujourd'hui un tendre et respectueux salut.

Puis, les affaires de mon père allant mieux, ce fut le lycée à partir de dix ans. Je me revois en mes dix ans. J'avais de grands yeux de fille, des joues de pêche irisée, un costume de la Belle Jardinière[15], costume marin pourvu d'une tresse blanche qui retenait un sifflet dans lequel j'aimais souffler pour croire que j'étais le fils d'un contre-amiral qui était aussi dompteur de lions et mécanicien de locomotive, un héroïque fils et mousse naviguant terriblement avec son père. J'étais toqué un peu. J'étais persuadé que tout ce que je voyais se trouvait vraiment et réellement, en tout vrai mais en tout petit, dans ma tête. Si j'étais au bord de la mer, j'étais sûr que cette Méditerranée que je voyais se trouvait aussi dans ma tête, pas l'image de la Méditerranée mais cette Méditerranée elle-même, minuscule et salée, dans ma tête, en miniature mais vraie et avec tous ses poissons, mais tout petits, avec toutes ses vagues et un petit soleil brûlant, une vraie mer avec tous ses rochers et tous ses bateaux absolument complets dans ma tête, avec charbon et matelots vivants, chaque bateau avec le même capitaine du dehors, le même capitaine mais très nain et qu'on pourrait toucher si on avait des doigts assez fins et petits. J'étais sûr que dans ma tête, cirque du monde, il y avait la terre vraie avec ses forêts, tous les chevaux de la terre mais si petits, tous les rois en chair et en os, tous les morts, tout le ciel avec ses étoiles et même Dieu extrêmement mignon.

Je me revois. J'étais aimant, ravi d'obéir, si désireux d'être félicité par les grandes personnes. J'aimais admirer. Un jour, sortant du lycée, je suivis un général pendant deux heures, à seule fin de me repaître et régaler de ses feuilles de chêne. J'étais fou de respect pour ce général qui était très petit et avait les jambes en cerceau. De temps à autre, je courais pour le devancer, puis je faisais brusquement demi-tour et j'allais à sa rencontre pour contempler un instant sa face de gloire. Je me revois. J'étais trop doux et je rougissais facilement, vite amoureux, et si je voyais de loin une jolie fillette inconnue, dont je ne considérais que le visage, je galopais immédiatement d'amour, je criais de joie d'amour, je faisais avec mes bras des moulinets d'amour. De mauvais augure, tout ça.

J'avais un secret autel à la France dans ma chambre. Sur le rayon d'une armoire que je fermais à clef, j'avais dressé une sorte de reliquaire des gloires de la France, qu'entouraient de minuscules bougies, des fragments de miroir, de petites coupes que j'avais fabriquées avec du papier d'argent. Les reliques étaient des portraits de Racine, de La Fontaine, de Corneille, de Jeanne d'Arc, de Duguesclin, de Napoléon, de Pasteur, de Jules Verne naturellement, et même d'un certain Louis Boussenard [16].

Dans mon secret autel à la France il y avait aussi de petits drapeaux français déchiquetés par moi pour faire plus glorieux, un petit canon posé sur un napperon de dentelle, près d'un président de la République, Loubet ou Fallières, que je croyais être un génie, la photo d'un colonel inconnu, grade qui me paraissait le plus distingué et plus enviable même que le grade de général, Dieu seul sait pourquoi. Il y avait, passé dans du papier doré, un cheveu qu'un condisciple farceur m'avait affirmé être d'un soldat de la Révolution française et qu'il m'avait vendu très cher, au moins cent noyaux d'abricots. Contre un coquetier, il y avait une poésie naine de moi à la France.

Dans le coquetier, il y avait des fleurs de papier qui ombrageaient la photographie de feu un cher canari. Collées aux parois de ce minuscule temple, il y avait de petites plaques votives qui portaient de hautes et originales pensées telles que « Gloire à la France » ou « Liberté, Égalité, Fraternité ». Mince de conspiration juive. Tout à fait Protocoles des Sages de Sion[17].

Je me rappelle, j'étais un écolier pourvu d'un accent si oriental que mes camarades du lycée se gaussaient lorsque je faisais d'ambitieux projets de baccalauréat et prophétisaient que jamais je ne pourrais écrire et parler français comme eux. Ils avaient raison d'ailleurs. Bernadet, Miron, Louraille, soudain leurs noms prestigieux me reviennent.

VI

Nous ne connaissions personne à Marseille.
Fiers quoique pauvres, nous ne fréquentions personne. Ou plutôt, personne ne nous fréquentait.
Mais nous ne nous l'avouions pas ou, peut-être,
ne nous en rendions-nous pas compte. Nous
étions si nigauds, si perdus en cet Occident, et si
peu dégourdis que lorsque mes parents faisaient
du feu dans la cheminée, ils mettaient non des
bûches mais de minces planchettes aussitôt
consumées. Et le plus beau était qu'ils laissaient
scrupuleusement le rideau de fer baissé jusqu'à la
fin de l'opération, ce qu'ils supposaient être plus
hygiénique. Ces deux échappés d'Orient, d'un
Orient toujours printanier où les cheminées
étaient inconnues, pensaient en effet que de
visibles flammes dans ce mystère de cheminée
devaient produire des émanations mortelles.
N'était-ce pas une de ces diableries qui avait
asphyxié celui que ma mère appelait le grand
Zola[18] ? Elle n'avait évidemment lu aucun livre de
cet écrivain, mais elle savait qu'il avait défendu le
capitaine Dreyfus. (« Quelle idée aussi, ce Drey-

36

fus, disait-elle, d'avoir choisi ce métier d'officier, avec un grand couteau à la ceinture. Ce ne sont pas des métiers pour nous. ») Bref, pour en revenir à notre système de chauffage, nous crevions de froid devant une cheminée vrombissante et un rideau de fer baissé. Nous nous chauffions devant un bruit glacé.

On était des rien du tout sociaux, des isolés sans nul contact avec l'extérieur. Alors, en hiver, nous allions tous les dimanches au théâtre, ma mère et moi, deux amis, deux doux et timides, cherchant obscurément dans ces trois heures de théâtre un succédané de cette vie sociale qui nous était refusée. Que ce malheur partagé, et jusqu'à présent inavoué, peut m'unir à ma mère.

Je me souviens aussi de nos promenades du dimanche, en été, elle et moi, tout jeune garçon. On n'était pas riches et le tour de la Corniche ne coûtait que trois sous. Ce tour, que le tramway faisait en une heure, c'était, en été, nos villégiatures, nos mondanités, nos chasses à courre. Elle et moi, deux faibles et bien vêtus, et aimants à en remontrer à Dieu. Je revois un de ces dimanches. Ce devait être à l'époque du Président Fallières, gros rouge ordinaire, qui m'avait fait frissonner de respect lorsqu'il était venu visiter notre lycée. « Le chef de la France », m'étais-je répété, avec une chair de poule d'admiration.

En ce dimanche, ma mère et moi nous étions ridiculement bien habillés et je considère avec pitié ces deux naïfs d'antan, si inutilement bien habillés, car personne n'était avec eux, personne ne se préoccupait d'eux. Ils s'habillaient très bien pour personne. Moi, en inopportun costume de petit prince et avec un visage de fille, angélique et ravi à me faire lapider. Elle, reine de Saba déguisée en bourgeoise, corsetée, émue et un peu égarée d'être luxueuse. Je revois ses longs gants de dentelle noire, son corsage à ruches avec des plissés, des bouillons et des fronces, sa voilette, son boa de plumes, son éventail, sa longue jupe à taille de guêpe et à volants qu'elle soutenait de la main et qui découvrait des bottines à boutons de nacre avec un petit rond de métal au milieu. Bref, pour cette promenade dominicale, on s'habillait comme des chanteurs d'après-midi mondaine et il ne nous manquait que le rouleau de musique à la main.

Arrivés à l'arrêt de La Plage, en face d'un casino rongé d'humidité, on prenait place solennellement, émotifs et peu dégourdis, sur des chaises de fer et devant une table verte. Au garçon de la petite baraque, qui s'appelait « Au Kass' Kroutt's », on demandait timidement une bouteille de bière, des assiettes, des fourchettes et, pour se le concilier, des olives vertes. Le garçon parti, c'est-à-dire le danger passé, on se souriait avec satisfaction, ma mère et moi, un peu empotés. Elle sortait alors les provisions emballées et elle me servait, avec quelque gêne si d'autres consommateurs nous regardaient, toutes sortes de splendeurs orientales, boulettes aux épinards, feuilletés au fromage, boutargue[19], rissoles aux raisins de Corinthe et autres merveilles. Elle me tendait une serviette un peu raide, amoureusement repassée la veille par ma mère si heureuse de penser, tandis qu'elle repassait en fredonnant un air de *Lucie de Lammermoor*[20], qu'elle irait demain avec son fils au bord de la mer. Elle est morte.

Et on se mettait à manger poliment, à regarder artificiellement la mer, si dépendants l'un de l'autre. C'était le plus beau moment de la semaine, la chimère de ma mère, sa passion : dîner avec son fils au bord de la mer. À voix basse, car elle avait, ma pauvre chérie, un complexe d'infériorité pas piqué des coccinelles[21], elle me disait de bien respirer l'air de la mer, de faire une provision d'air pur pour toute la semaine. J'obéissais, tout aussi nigaud qu'elle. Les consommateurs regardaient ce petit imbécile qui ouvrait consciencieusement la bouche toute grande pour bien avaler l'air de la Méditerranée. Nigauds, oui, mais on s'aimait. Et on parlait, on parlait, on faisait des commentaires sur les autres consommateurs, on parlait à voix basse, très sages et bien élevés, on parlait, heureux, quoique moins que lors des préparatifs à la maison, heureux, mais avec quelque tristesse secrète, qui venait peut-être du sentiment confus que chacun était l'unique société de l'autre. Pourquoi ainsi isolés ? Parce qu'on était pauvres, fiers et étrangers et surtout parce qu'on était des naïfs qui ne comprenaient rien aux trucs du social et n'avaient pas ce minimum de ruse nécessaire pour se faire des relations. Je crois même que notre maladroite tendresse trop vite offerte, notre faiblesse trop visible et notre timidité avaient éloigné de possibles amitiés.

Assis à cette table verte, nous observions les autres consommateurs, nous tâchions d'entendre ce qu'ils disaient, non par vulgaire curiosité mais par soif de compagnie humaine, pour être un peu, de loin, leurs amis. Nous aurions tant voulu en être. Nous nous rattrapions comme nous pouvions en écoutant. C'est laid ? Je ne trouve pas. Ce qui est laid, c'est que sur cette terre il ne suffise pas d'être tendre et naïf pour être accueilli à bras ouverts.

Assis à cette table verte, nous parlions beaucoup pour nous étourdir. Nos éternels sujets de conversation étaient nous deux et mon père et quelques parents dans d'autres villes, mais jamais de tonifiants autres, vraiment autres. Nous parlions beaucoup pour nous dissimuler que nous nous ennuyions un peu et que nous n'étions pas tout à fait suffisants l'un à l'autre. Comme je voudrais maintenant, loin de ces importants que je fréquente quand ça me chante, retrouver Maman et m'ennuyer un peu auprès d'elle.

En ce dimanche auquel je pense, j'imaginai soudain, pauvre petit bougre, que j'étais soudain magiquement doué du don de faire des sauts de vingt mètres de haut, que d'un seul coup de talon j'allais m'enlever et voler au-dessus des trams et même au-dessus de la coupole du Casino, et que les consommateurs enthousiasmés applaudiraient le petit prodige et surtout l'aimeraient. J'imaginai qu'à mon retour, essoufflé, mais pas trop, auprès de ma mère orgueilleuse et vengée, les consommateurs viendraient féliciter Maman d'avoir donné le jour à un si sublime acrobate, qu'ils lui serreraient la main et qu'ils nous inviteraient à venir à leur table. Tous nous souriraient et nous demanderaient d'aller déjeuner chez eux dimanche prochain. Je me levai, j'essayai mon coup de talon mais le don magique me fut refusé et je me rassis, regardant Maman à qui je ne pouvais faire le beau cadeau que j'avais imaginé.

À neuf heures du soir, ma mère plia bagage et

nous allâmes attendre le tram, près de la vespasienne aux relents mélancoliques, tout en regardant, hébétés et comme hypnotisés, les riches qui arrivaient joyeusement en bande et en voiture jouer à la roulette du Casino. Nous, on attendait silencieusement le tram, humbles complices. Pour chasser la neurasthénie de cette solitude à deux, ma mère chercha un sujet de conversation. « En rentrant, je te recouvrirai tes livres de classe avec du joli papier rose. » Sans comprendre pourquoi, j'eus envie de pleurer et je serrai fort la main de ma mère. La grande vie, comme vous voyez, ma mère et moi. Mais on s'aimait.

VII

Maman de mon enfance, auprès de qui je me sentais au chaud, ses tisanes, jamais plus. Jamais plus, son odorante armoire aux piles de linge à la verveine et aux familiales dentelles rassurantes, sa belle armoire de cerisier que j'ouvrais les jeudis et qui était mon royaume enfantin, une vallée de calme merveille, sombre et fruitée de confitures, aussi réconfortante que l'ombre de la table du salon sous laquelle je me croyais un chef arabe. Jamais plus, son trousseau de clefs qui sonnaillaient au cordon du tablier et qui étaient sa décoration, son Ordre du mérite domestique[22]. Jamais plus, son coffret plein d'anciennes bricoles d'argent avec lesquelles je jouais quand j'étais convalescent. O meubles disparus de ma mère. Maman, qui fus vivante et qui tant m'encourageas, donneuse de force, qui sus m'encourager aveuglément, avec d'absurdes raisons qui me rassuraient, Maman, de là-haut, vois-tu ton petit garçon obéissant de dix ans?

Soudain, je la revois, si animée par la visite du médecin venant soigner son petit garçon. Combien elle était émue par ces visites du médecin, lequel était un pontifiant crétin parfumé que nous admirions éperdument. Ces visites payées, c'était un événement mondain, une forme de vie sociale pour ma mère. Un monsieur bien du dehors parlait à cette isolée, soudain vivifiée et plus distinguée. Et même, il laissait tomber du haut de son éminence des considérations politiques, non médicales, qui réhabilitaient ma mère, la faisaient une égale et ôtaient, pour quelques minutes, la lèpre de son isolement. Sans doute se rappelait-elle alors que son père avait été un notable. Je revois son respect de paysanne pour le médecin, sonore niais qui nous paraissait la merveille du monde et dont j'adorais tout, même une trace de variole sur son pif majestueux. Je revois l'admiration si convaincue avec laquelle elle le considérait m'auscultant d'une tête à l'eau de Cologne, après qu'elle lui eut tendu cette serviette neuve à laquelle il avait droit divin. Comme elle respectait cette nécessité magique d'une serviette pour ausculter. Je la revois, marchant sur la pointe des pieds pour ne pas le déranger tandis qu'il me prenait génialement le pouls tout en tenant génialement sa belle montre dans sa main. Que c'était beau, n'est-ce pas, pauvre Maman si peu blasée, si sevrée des joies de ce monde ?

Je la revois se retenant presque de respirer tandis que le crétin médical gribouillait noblement le talisman de l'ordonnance, je la revois me faisant des signes de « chut » pour m'empêcher de parler tandis qu'il écrivait, pour m'empêcher de troubler l'inspiration du grand homme en transe de savoir. Je la revois, charmée, émue, jeune fille, le raccompagnant à la porte et, rougissante, quêtant de lui la certitude que son petit garçon n'avait rien de sérieux. Et après, comme elle allait vite chez le pharmacien, divinité inférieure mais fort appréciée, pour faire préparer les philtres qui allaient terriblement agir. Importance des médicaments pour ma mère. Elle raffolait de me bourrer de ses propres médecines, de m'en faire profiter, et elle n'avait de cesse que je ne les busse toutes. « Celle-ci est très puissante », disait-elle en me tendant une nouvelle potion. Pour la contenter, j'ai dû, même à l'âge d'homme, ingurgiter toutes sortes de remèdes pour toutes sortes d'organes et tissus. Elle me regardait les prendre avec une attention charmée et presque sévère. Oui, une simple, ma mère. Mais tout ce que j'ai de bon, c'est à elle que je le dois. Et ne pouvant rien faire d'autre pour toi, Maman, je baise ma main qui vient de toi.

Ton enfant est mort en même temps que toi. Par ta mort, me voici soudain de l'enfance à la vieillesse passé. Avec toi, je n'avais pas besoin de faire l'adulte. Voilà ce qui m'attend désormais, toujours feindre d'être un monsieur, un sérieux à responsabilités. Je n'ai plus personne pour me gronder si je mange trop vite ou si je lis trop avant dans la nuit. Je n'ai plus dix ans et je ne peux plus jouer avec des bobines ou des décalcomanies, dans la chambre chaude, loin du brouillard de la rue d'hiver, près du rond jaune de la lampe à pétrole et sous ta garde, tandis que studieusement tu couds en faisant de doux projets vagues et ravissants, pauvre roulée d'avance.

O mon passé, ma petite enfance, ô chambrette, coussins brodés de petits chats rassurants, vertueuses chromos, conforts et confitures, tisanes, pâtes pectorales, arnica, papillon du gaz[23] dans la cuisine, sirop d'orgeat, antiques dentelles, odeurs, naphtalines, veilleuses de porcelaine, petits baisers du soir, baisers de Maman qui me disait, après avoir bordé mon lit, que maintenant j'allais faire mon petit voyage dans la lune avec mon ami un écureuil. O mon enfance, gelées de coings, bougies roses, journaux illustrés du jeudi, ours en peluche, convalescences chéries, anniversaires, lettres du Nouvel An sur du papier à dentelures, dindes de Noël, fables de La Fontaine idiotement récitées debout sur la table, bonbons à fleurettes, attentes des vacances, cerceaux, diabolos, petites mains sales, genoux écorchés et j'arrachais la croûte toujours trop tôt, balançoires des foires, cirque Alexandre où elle me menait une fois par an et auquel je pensais des mois à l'avance,

cahiers neufs de la rentrée, sac d'école en faux léo-
pard, plumiers japonais[24], plumiers à plusieurs
étages, plumes sergent-major, plumes baïonnette
de Blanzy Poure[25], goûters de pain et de chocolat,
noyaux d'abricots thésaurisés, boîte à herboriser,
billes d'agate, chansons de Maman, leçons qu'elle
me faisait repasser le matin, heures passées à la
regarder cuisiner avec importance, enfance,
petites paix, petits bonheurs, gâteaux de Maman,
sourires de Maman, ô tout ce que je n'aurai plus,
ô charmes, ô sons morts du passé, fumées enfuies
et dissoutes saisons. Les rives s'éloignent. Ma
mort approche.

VIII

À dix-huit ans, je quittai Marseille et j'allai à
Genève où je m'inscrivis à l'Université et où des
nymphes me furent bienveillantes. Alors, la solitude de ma mère devint totale. Elle était déracinée
à Marseille. Elle y avait bien de vagues parents
mais ils étaient trop riches et ne la recevaient que
pour lui faire ingurgiter leur luxe, lui parler de
leurs hautes relations et l'interroger avec bienveil-
lance sur le modeste commerce de son mari. Elle
s'était abstenue au bout de quelques visites. Ne
pouvant plus, depuis sa première crise cardiaque,
aider mon père dans son travail, elle restait le plus
souvent seule dans son appartement. Elle ne fréquentait personne car elle était peu débrouillarde.
D'ailleurs, les épouses des confrères de mon père
n'étaient pas son genre et elle ne leur plaisait sans
doute pas. Elle ne savait pas rire avec ces dames
de commerce, s'intéresser à ce qui les intéressait,
parler comme elles. Ne fréquentant personne, elle
fréquentait son appartement. L'après-midi, après
avoir terminé ses tâches ménagères, elle se rendait visite à elle-même. Bien habillée, elle se pro-

48

menait dans son cher appartement, inspectait chaque chambre, tapotait une couverture, arrangeait un coussin, aimait la tapisserie neuve, savourait sa salle à manger, regardait si tout était bien en ordre, chérissait cet ordre et l'odeur d'encaustique et le nouveau canapé en affreux velours frappé. Elle s'asseyait sur le canapé, se recevait chez elle. Cette boule à café qu'elle venait d'acheter était une relation nouvelle. Elle lui souriait, l'éloignait un peu pour mieux la voir. Ou encore elle considérait le beau sac à main que je lui avais offert, qu'elle conservait enveloppé dans du papier de soie et dont elle ne se servait jamais car il aurait été dommage de l'abîmer.

Sa vie, c'était son appartement, c'était écrire à son fils, attendre les lettres de son fils, préparer ses voyages vers le fils, attendre son mari dans l'appartement silencieux, lui souhaiter la bienvenue lorsqu'il rentrait, être fière des compliments de son mari. Il y avait aussi les pâtisseries où elle écoutait un peu la conversation des dames bien, tout en mangeant un gâteau, consolation des isolés. Elle participait comme elle pouvait, se contentait humblement de ces pauvres divertissements, toujours spectatrice, jamais actrice. Sa vie, c'était encore d'aller toute seule au cinéma. Ces personnages sur l'écran, elle était admise en leur compagnie. Elle pleurait aux malheurs de ces belles dames chrétiennes. Elle a été une isolée toute sa vie, une timide enfant dont la tête trop

grosse était collée avidement à la vitre de la pâtis-
serie du social. Je ne sais pas pourquoi je raconte
la vie triste de ma mère. C'est peut-être pour la
venger.

   À table, elle mettait tous les jours la place du fils
absent. Et même, le jour anniversaire de ma naissance, elle servait l'absent. Elle mettait les morceaux les plus fins sur l'assiette de l'absent, devant
laquelle il y avait ma photographie et des fleurs.
Au dessert, le jour de mon anniversaire, elle
posait sur l'assiette de l'absent la première
tranche du gâteau aux amandes, toujours le
même parce que c'était celui que j'avais aimé en
mon enfance. Puis sa main tremblante versait le
vin de Samos, toujours le même, dans le verre de
l'absent. Elle mangeait silencieusement, à côté de
son mari, et elle regardait ma photographie.

IX

Depuis mon départ, l'événement de chaque année fut le séjour qu'elle faisait chez moi, à Genève, en été. Elle s'y préparait des mois à l'avance : rafistolage des vêtements, achat de cadeaux, cure ratée d'amaigrissement. De cette manière, une sorte de bonheur commençait pour elle longtemps avant son départ. C'était une petite combine à elle pour être déjà un peu auprès de moi. Durant ses séjours chez moi, épopées de sa vie, elle était si soucieuse de me plaire. Devant mes amis, elle essayait de réprimer ses gestes orientaux et de camoufler son accent, à demi marseillais et à demi balkanique, sous un murmure confus qui se voulait parisien. Pauvre chérie.

Elle n'avait pas beaucoup de volonté. Elle ne savait pas suivre un régime et son embonpoint de cardiaque s'accentuait avec les années. Pourtant, à chacun de ses séjours, elle m'assurait qu'elle avait perdu plusieurs kilos depuis l'année dernière. Je ne la détrompais pas. La vérité, c'était que, quelques semaines avant son départ de Marseille, elle se condamnait à la famine pour maigrir et me plaire. Mais elle ne perdait jamais autant de poids qu'elle en avait gagné. Ainsi, grossissant sans cesse, elle s'imaginait poétiquement maigrir sans cesse.

Elle arrivait chez moi, fermement résolue à ne pas s'écarter désormais de son régime. Mais ce régime, elle l'enfreignait constamment sans s'en douter, les infractions étant toutes exceptionnelles quoique quotidiennes. « Je veux seulement voir si ce feuilleté est réussi. » « Cette pâte d'amandes, ce n'est rien, mon fils, juste une bouchée de fourmi, ça ne va pas plus loin que la gorge, juste un peu pour me passer l'envie. Ne sais-tu pas qu'une envie non contentée fait grossir ? » Et si je l'engageais à prendre du café sans sucre, elle m'affirmait que le sucre n'engraisse pas. « Mets-en dans l'eau et tu verras qu'il disparaît. » Si une balance de pharmacien dénotait une augmentation de poids, c'était une erreur de la balance ou c'était parce qu'elle avait trop bougé sur la balance ou parce qu'elle avait gardé son chapeau. Pour les plantureux repas, il y avait toujours de bonnes raisons. Un jour, c'était parce qu'elle venait d'arriver à Genève et qu'il fallait bien fêter ce jour de merveille. Un autre jour, parce qu'elle se sentait un peu fatiguée et que les beignets au miel fortifient. Un autre jour, parce qu'elle avait reçu une gentille lettre de mon père. Quelques jours plus tard, parce qu'elle n'avait pas reçu de lettre. Une autre fois, parce que dans quelques jours elle partirait. Ou encore parce qu'elle ne voulait pas me tenir triste compagnie en me faisant assister à son repas de régime. Elle serrerait un peu plus son corset, et voilà tout. « Et puis quoi, je ne suis pas une jeune fille à marier. »

Mais si je la grondais, elle obéissait, pleine de foi, immédiatement atterrée par les perspectives de maladie, me croyant si je lui disais qu'en six mois de régime sérieux elle aurait une tournure de mannequin. Elle restait alors toute la journée scrupuleusement sans manger, se forgeant tristement mille félicités de sveltesse. Si, pris soudain de pitié et sentant que tout cela ne servirait à rien, je lui disais qu'en somme ces régimes ce n'était pas très utile, elle approuvait avec enthousiasme. « Vois-tu, mon fils, je crois que tous ces régimes pour maigrir, ça déprime et ça fait grossir. » Je lui proposais alors de dîner dans un très bon restaurant. « Eh oui, mon fils, divertissons-nous un peu avant de mourir ! » Et dans sa plus belle robe, linotte et petite fille, elle mangeait de bon cœur et sans remords puisqu'elle était approuvée par moi. Je la regardais et je pensais qu'elle n'était pas faite pour vivre longtemps et qu'il était juste qu'elle eût quelques petits plaisirs. Je la regardais qui mangeait, très à son affaire. Je regardais paternellement ses petites mains qui bougeaient, qui bougeaient en ce temps-là.

Elle n'avait aucun sens de l'ordre et croyait avoir beaucoup d'ordre. Lors d'une de mes visites à Marseille, je lui achetai un dossier alphabétique, lui en expliquant les mystères et que les factures du gaz devaient se mettre sous la lettre G. Elle m'écouta avec une sincérité passionnée et se mit ardemment à classer. Quelques mois plus tard, lors d'une autre visite, je m'aperçus que les factures du gaz étaient sous Z. « Parce que c'est plus commode pour moi, m'expliqua-t-elle, je me rappelle mieux. » Les quittances du loyer n'étaient plus sous L mais avaient émigré sous Y. « Mon enfant, il faut bien mettre quelque chose dans cet Y et d'ailleurs n'y a-t-il un Y dans loyer ? » Peu à peu, elle revint à l'ancienne méthode de classement : les feuilles d'impôt retournèrent dans la cheminée, les quittances de loyer sous le bicarbonate de soude, les factures d'électricité à côté de l'eau de Cologne, les comptes de banque dans une enveloppe marquée « Assurance contre l'Incendie » et les ordonnances de médecin dans le pavillon du vieux gramophone. Comme je faisais allusion à ce désordre revenu, elle eut un sourire d'enfant coupable. « Tout cet ordre, me dit-elle, les yeux baissés, ça m'embrouillait. Mais si tu veux, je recommencerai à classer. » Je t'envoie un baiser dans la nuit, toi à travers les étoiles.

Quand on traversait la rue ensemble à Genève, elle était un peu nigaude. Consciente de sa gaucherie héréditaire, et marchant péniblement, ma cardiaque, elle avait si peur des autos, si peur d'être écrasée, et elle traversait, sous ma conduite, si studieusement, avec tant de brave application affolée. Je la prenais paternellement par le bras et elle baissait la tête et fonçait, ne regardant pas les autos, fermant les yeux pour pouvoir mieux suivre ma conduite, toute livrée à ma direction, un peu ridicule d'aller avec tant de hâte et d'épouvante, si soucieuse de n'être pas écrasée et de vivre. Faisant si bien son devoir de vivre, elle fonçait bravement, avec une immense peur, mais toute convaincue de ma science et puissance et qu'avec son protecteur nul mal ne pouvait lui survenir. Si empotée, ma pauvre chérie. Et quelle montagnarde aventure c'était pour elle de monter dans un tram. Je me moquais un peu d'elle. Elle aimait mes moqueries. Maintenant, elle est allongée en son bougon sommeil de terre, celle qui avait si peur d'être écrasée, allongée en une végétale hébétude.

Dans les trams de Genève, elle aimait regarder, à chaque arrêt, l'irruption de tous les petits vouloir-vivre, l'arrivée des nouveaux voyageurs qui s'asseyaient avec satisfaction, ces deux amies qui se souriaient, essoufflées, comme pour se féliciter, en leur chère préoccupation d'elles-mêmes, d'avoir vaincu, c'est-à-dire de n'avoir pas manqué le tram. Tout ce qui les concerne est si important pour les petits humains, ces drôles de cocos. Ma mère aimait regarder. C'était le seul contact social qui lui était donné. Elle comprenait tout. Elle comprenait même pourquoi cette petite commise considérait tellement le savon coûteux qu'elle venait d'acheter. « La pauvre, me disait-elle, elle se console avec ce savon de luxe, ça lui remplace la grande vie, c'est comme si elle avait réussi dans la vie. » Elle ne parle plus maintenant. Elle est maussade en sa terreuse mélancolie.

Finies, les longues badauderies de Genève avec ma mère qui marchait péniblement et j'étais heureux de respecter sa lente marche et je me forçais à aller encore plus lentement qu'elle pour lui éviter fatigue et humiliation. Elle admirait tout de la chère Genève et de la Suisse. Elle était enthousiaste de ce petit pays, sage et solide. Naïve, elle faisait pour la Suisse des rêves de domination universelle, élaborait un empire mondial suisse. Elle disait qu'on devrait mettre de bons Suisses, bien raisonnables, bien consciencieux, un peu sévères, à la tête des gouvernements de tous les pays. Alors, tout irait bien. Les agents de police et les facteurs seraient bien rasés et leurs souliers bien cirés. Les bureaux de poste deviendraient propres, les maisons fleuries, les douaniers aimables, les gares astiquées et vernies, et il n'y aurait plus de guerres. Elle admirait la pureté du lac de Genève. « Même leur eau est honnête », disait-elle. Je la revois, lisant avec respect, la bouche entrouverte, l'inscription gravée au fronton de l'Université : « Le peuple de Genève, en consacrant cet édifice aux études supérieures, rend hommage aux bienfaits de l'instruction, garantie fondamentale de ses libertés. » « Comme c'est beau, murmura-t-elle, regarde les belles paroles qu'ils savent trouver. »

Finies, les errances sans but devant les vitrines des magasins de Genève. Pour la mettre à l'aise, je me faisais tout oriental avec elle. Il nous est même peut-être arrivé de manger subrepticement des pistaches salées dans la rue, comme deux bons frangins méditerranéens qui n'avaient pas besoin, pour s'aimer, d'avoir une conversation élevée et de se jouer des comédies de distinction, et qui pouvaient être un peu veules ensemble et traînasser. Comme elle se fatiguait vite à marcher. Cette lente marche, c'était déjà une marche funèbre, le commencement de sa mort.

On marchait lentement, et elle me disait soudain, à moi, son grand ami, une pensée qui lui paraissait importante. « Mon fils, vois-tu, les hommes sont des animaux. Regarde-les, ils ont des pattes, des dents pointues. Mais un jour des anciens temps, notre maître Moïse est arrivé et il a décidé, dans sa tête, de changer ces bêtes en hommes, en enfants de Dieu, par les Saints Commandements, tu comprends. Il leur a dit : tu ne feras pas ceci, tu ne feras pas cela, c'est mal, les animaux tuent mais toi, tu ne tueras pas. Moi, je crois que c'est lui qui a inventé les Dix Commandements en se promenant sur le Mont Sinaï pour mieux réfléchir. Mais il leur a dit que c'était Dieu pour les impressionner, tu comprends. Tu sais comment ils sont, les Juifs. Il leur faut toujours le plus cher. Quand ils sont malades, ils font tout de suite venir le plus grand professeur de médecine. Alors, Moïse, qui les connaissait bien, s'est dit : si je leur dis que les Commandements viennent de l'Éternel, ils feront plus attention, ils respecteront davantage. »

Soudain, elle prit mon bras, savoura de s'y appuyer et d'avoir encore trois semaines à passer avec moi. « Dis-moi, mes yeux, ces fables que tu écris (ainsi appelait-elle un roman que je venais de publier) comment les trouves-tu dans ta tête, ces fables ? Dans le journal, ils racontent un accident, ce n'est pas difficile, c'est un fait qui est arrivé, il faut seulement mettre les mots qu'il faut. Mais toi, ce sont des inventions, des centaines de pages sorties du cerveau. Quelle merveille du monde ! » En mon honneur, elle brûla ce qu'elle avait jadis adoré : « Écrire un livre, c'est difficile, mais les médecins, ce n'est rien. Ils répètent ce qu'ils ont appris dans les livres et ils font telle-

ment les importants avec leur salon où il y a toujours une lionne en bronze qui va mourir. Des
centaines de pages, répéta-t-elle rêveusement. Et
moi, pauvrette, je ne suis même pas capable
d'écrire une lettre de condoléances. Une fois que
j'ai mis "je vous envoie mes condoléances", je ne
sais plus quoi dire. Tu devrais m'écrire un modèle
pour les condoléances, mais ne mets pas des mots
profonds, parce qu'alors on comprendrait que ce
n'est pas moi. » Et soudain, elle soupira d'aise.
« C'est agréable de se promener avec toi. Tu
m'écoutes, toi. Avec toi, on peut avoir une conversation. »

Ce jour-là, je lui achetai des souliers de daim,
malgré ses protestations. (« Garde ton argent,
mon fils, les vieilles femmes n'ont pas besoin de
souliers de daim. ») Je me rappelle sa hâte de rentrer à la maison « pour vite les regarder ». Je la
revois, ouvrant déjà le paquet dans l'ascenseur,
puis circulant victorieusement dans mon appartement, les souliers neufs à la main, les contem-
plant, les éloignant, fermant un œil pour mieux
les voir, m'en expliquant les beautés visibles et
invisibles. Du génie, elle avait les émois énormes
et déraisonnables. Avant de se coucher, elle posa
les souliers près de son lit « pour que je les voie
tout de suite demain matin quand je me réveille-
rai ». Elle s'endormit, fière d'avoir un bon fils.
Contente de si peu, ma pauvre enthousiaste. Le
lendemain, au petit déjeuner, elle mit les souliers

chéris sur la table, près de la cafetière. « Mes petits invités », sourit-elle. On sonna et elle tressaillit. Un télégramme de Marseille ? Mais ce n'était qu'un complet, livré par mon tailleur. Exaltation de Maman, atmosphère de fête. Elle tâta le complet, déclara avec un air de compétence (elle n'y connaissait rien) qu'il était de laine écossaise. « Que tu le portes en joie et en santé », dit-elle sentencieusement. Posant sa main sur ma tête, elle me souhaita aussi de le porter cent ans, ce qui me causa quelque cafard. Ensuite, m'ayant supplié d'essayer le costume neuf, elle s'extasia, les mains jointes : « Un vrai fils de Sultan ! » Et elle ne put se retenir de faire une allusion à ce qui lui tenait tant à cœur : « Voilà, il ne te manque plus que la fiancée, maintenant. » Je me rappelle, c'est ce matin-là qu'elle me fit jurer de ne jamais aller dans un « Ange de la Mort ». C'est ainsi qu'elle appelait les avions. Elle est morte.

X

Dans ma solitude, je me chante la berceuse douce, si douce, que ma mère me chantait, ma mère sur qui la mort a posé ses doigts de glace et je me dis, avec dans la gorge un sanglot sec qui ne veut pas sortir, je me dis que ses petites mains ne sont plus chaudes et que jamais plus je ne les porterai douces à mon front. Plus jamais je ne connaîtrai ses maladroits baisers à peine posés. Plus jamais, glas des endeuillés, chant des morts que nous avons aimés. Je ne la reverrai plus jamais et jamais je ne pourrai effacer mes indifférences ou mes colères.

Je fus méchant avec elle, une fois, et elle ne le méritait pas. Cruauté des fils. Cruauté de cette absurde scène que je fis. Et pourquoi ? Parce que, inquiète de ne pas me voir rentrer, ne pouvant jamais s'endormir avant que son fils ne fût rentré, elle avait téléphoné, à quatre heures du matin, à mes mondains inviteurs qui ne la valaient certes pas. Elle avait téléphoné pour être rassurée, pour être sûre que rien de mal ne m'était arrivé. De retour chez moi, je lui avais fait cette affreuse scène. Elle est tatouée dans mon cœur, cette scène. Je la revois, si humble, ma sainte, devant mes stupides reproches, bouleversante d'humilité, si consciente de sa faute, de ce qu'elle était persuadée être une faute. Si convaincue de sa culpabilité, la pauvre qui n'avait rien fait de mal. Elle sanglotait, ma petite enfant. Oh, ses pleurs que je ne pourrai jamais n'avoir pas fait couler. Oh, ses petites mains désespérées où des taches bleues étaient apparues. Chérie, tu vois, je tâche de me racheter en avouant. Combien nous pouvons faire souffrir ceux qui nous aiment et quel affreux pouvoir de mal nous avons sur eux. Et comme nous faisons usage de ce pouvoir. Et pourquoi cette indigne colère ? Peut-être parce que son accent étranger et ses fautes de français en téléphonant à ces crétins cultivés m'avaient gêné. Je ne les entendrai plus jamais, ses fautes de français et son accent étranger.

Vengé de moi-même, je me dis que c'est bien fait et que c'est juste que je souffre, moi qui ai fait, cette nuit-là, souffrir une maladroite sainte, une vraie sainte, qui ne savait pas qu'elle était une sainte. Frères humains[26], frères en misère et en superficialité, c'est du propre, notre amour filial. Je me suis fâché contre elle parce qu'elle m'aimait trop, parce qu'elle avait le cœur riche, l'émoi rapide et qu'elle craignait trop pour son fils. Je l'entends qui me rassure. Tu as raison, Maman, je n'ai été méchant qu'une fois avec toi et je t'ai demandé un pardon que tu accordas avec tant de joie. Tu le sais, n'est-ce pas, je t'ai totalement aimée. Comme nous étions bien ensemble, quels bavards complices et intarissables amis. Mais j'aurais pu t'aimer plus encore et tous les jours t'écrire et tous les jours te donner ce sentiment d'importance que seul je savais te donner et qui te rendait si fière, toi humble et méconnue, ma géniale, Maman, ma petite fille chérie.

Je ne lui écrivais pas assez. Je n'avais pas assez d'amour pour l'imaginer, ouvrant sa boîte aux lettres, à Marseille, plusieurs fois par jour et n'y trouvant jamais rien. (Maintenant, chaque fois que j'ouvre ma boîte aux lettres et que je n'y trouve pas la lettre de ma fille, cette lettre que j'attends depuis des semaines, j'ai un petit sourire. Ma mère est vengée.) Et le pire, c'est que j'étais quelquefois agacé par ses télégrammes. Pauvres télégrammes de Marseille, toujours les mêmes : « Inquiète sans nouvelles télégraphie santé. » Je me hais d'avoir télégraphié une fois en réponse, le parfum d'une nymphe encore sur mon visage : « Je me porte admirablement bien lettre suit. » La lettre n'avait pas vite suivi. Chérie, ce livre, c'est ma dernière lettre.

Je me raccroche à cette idée que, devenu adulte (ça a pris du temps), je lui donnais de l'argent en cachette, ce qui lui procurait la joie désintéressée de se savoir protégée par son fils. J'aurais dû lui offrir un aspirateur à poussière. Elle en aurait eu un poétique plaisir. Elle serait allée lui rendre visite de temps en temps, l'aurait chéri, regardé sous toutes ses faces avec un recul artiste et une respiration satisfaite. Ces choses étaient importantes pour elle, fleurissaient sa vie. Je me raccroche aussi à cette idée que je l'ai beaucoup écoutée, que j'ai participé hypocritement aux dissensions de famille qui l'intéressaient tant et qui m'ennuyaient un peu. J'abondais dans son sens, je l'approuvais de critiquer tel parent en disgrâce, le même qu'elle portait aux nues, deux jours plus tard, si elle en recevait une lettre aimable. Je me raccroche à cette pauvre consolation que je savais régler mon pas sur son pas lent de cardiaque. « Toi, au moins, mon fils, tu n'es pas comme les autres, tu marches normalement, c'est un plaisir de se promener avec toi. » Je pense bien, on faisait du trois cents mètres à l'heure.

Ce qui me fait du bien aussi, c'est de me dire que j'ai su la flatter. Quand elle mettait une nouvelle robe, qui n'était jamais nouvelle mais toujours transformée, et qui lui allait assez mal, je lui disais : « Tu es élégante comme une jeune fille. » Elle rayonnait alors d'un timide bonheur, rougissait, me croyait. À chacun de mes énormes compliments, ce geste mignon qu'elle avait de porter sa petite main à la lèvre. Elle vivait alors extrêmement, était réhabilitée. Que lui importait d'être une isolée et une dédaignée? Elle s'abreuvait de mes louanges, avait un fils. Mais le seul vrai réconfort, c'est qu'elle n'assiste pas à mon malheur de sa mort. Me frottant les mains pour essayer d'être gai, je viens de confier cette pensée à ma chatte qui a ronronné courtoisement.

Un autre remords, c'est que je considérais tout naturel d'avoir une mère vivante. Je ne savais pas assez combien ses allées et venues dans mon appartement étaient précieuses, éphémères. Je ne savais pas assez qu'elle était en vie. Je n'ai pas assez désiré ses venues à Genève. Est-ce possible? Il y a donc eu un temps merveilleux où je n'avais qu'à envoyer un télégramme de dix mots pour que, deux jours plus tard, elle débarque sur le quai de la gare, avec son sourire conventionnel de timide, ses valises toujours un peu démantibulées et son chapeau trop étroit. Je n'avais qu'à écrire dix mots et elle était là, magiquement. J'étais le maître de cette magie et je l'ai si peu utilisée, idiotement occupé que j'étais par des nymphes. Tu n'as pas voulu écrire dix mots, écris-en quarante mille maintenant.

Ma folie est de penser sans cesse à cette feuille de télégramme. J'écris dix mots à la poste et voilà, elle est à la portière du wagon, elle me fait signe en me désignant de l'index. Et voilà, elle se dépêche gauchement sur le marchepied, avec une peur horrible de tomber, car elle et la gymnastique, ça fait deux. Et voilà, elle avance vers moi, digne et honteuse, avec ses cheveux frisés, son nez un peu fort, son chapeau trop petit, ses talons un peu de travers et ses chevilles un peu enflées. Elle est un peu ridicule d'avancer ainsi péniblement, le bras en balancier, mais je l'admire, cette maladroite aux yeux fastueux, Jérusalem vivante. Elle est déguisée en dame convenable d'Occident mais c'est d'un antique Chanaan qu'elle arrive et elle ne le sait pas. Et voilà, sa petite main me caresse la joue. Elle est si émue. Comme elle s'est bien recoiffée et brossée dans la toilette du wagon, une demi-heure avant l'arrivée. Je la connais bien. Par de longs préparatifs, elle a voulu se rendre élégante pour faire hommage à son fils et en être bien jugée. Maintenant, elle se met sous ma protection et elle sait que je vais m'occuper de tout, du porteur, du taxi. Elle me suit docilement. Sa petite angoisse d'éternelle étrangère en tendant son passeport au gendarme genevois. Mais elle n'a pas trop peur parce que je suis là. Dans le taxi, elle me prend la main, y dépose un petit baiser maladroit, un baiser si léger, une petite plume de canari. Elle sent l'eau de Cologne pas très chère. Voilà, on est arrivés chez moi. Elle est intimidée par ce bel appartement. Elle aspire un peu de salive, c'est son petit tic de gêne, quand elle veut être distinguée. Et voilà, les cadeaux sortent de la valise. Que de gâteaux, préparés par elle, poèmes d'amour. Je la remercie et alors elle me donne un autre de ses baisers à elle, un baiser timide et poétique : elle me prend légèrement la joue entre deux de ses doigts et ensuite elle baise ses deux doigts. Tu vois, chérie, je me souviens de tout. Je la regarde. Oui, je la connais bien. Je connais ses petits secrets ingénus. Je sais très bien qu'elle ne m'a pas donné tous les cadeaux. Je sais qu'il y en a d'autres, cachés dans la valise, et qu'ils sortiront peu à peu, les jours suivants. Elle veut faire durer le plaisir, me donner un cadeau chaque jour. Je fais celui qui ne se doute de rien. Je ne veux pas lui gâcher son petit plaisir. Maintenant, c'est le lendemain matin. Elle m'apporte le plateau du petit déjeuner. Elle est en peignoir. Finies, les vertueuses élégances de la veille. Elle se laisse un peu aller ce matin, car elle est vieille. Je suis content qu'elle soit en peignoir et en pantoufles. Ça la repose.

C'est le seul faux bonheur qui me reste, d'écrire sur elle, pas rasé, avec la musique inécoutée de la radio, avec ma chatte à qui, en secret, je parle dans le dialecte vénitien des Juifs de Corfou, que je parlais parfois avec ma mère. Mon impassible chatte, mon ersatz de mère, ma piteuse petite mère si peu aimante. Quelquefois, lorsque je suis seul avec ma chatte, je me penche vers elle et je l'appelle ma petite Maman. Mais ma chatte me regarde et ne comprend pas. Et je reste seul, avec ma ridicule tendresse en chômage.

Je suis hanté par cette scène que je lui fis. « Je demande pardon », sanglotait mon adorable. Elle était si épouvantée par son péché d'avoir osé téléphoner à cette comtesse et de lui avoir demandé « si mon fils Albert est toujours chez vous, madame ». Cette comtesse, à cause de qui je fis du mal à ma sainte mère, était une crétine sans postérieur, qui prenait au sérieux les fonctions et les décorations de son diplomate de mari, et qui parlait sans arrêt, l'idiote, comme un perroquet ivre de vin blanc. « Je ne le ferai plus », sanglotait mon adorable. Lorsque je vis les taches bleues sur ses mains, les larmes me vinrent et je m'agenouillai et je baisai follement ses petites mains et elle baisa mes mains et nous nous regardâmes, fils et mère à jamais. Elle me prit sur ses genoux et elle me consola. Mais lorsque, le lendemain soir, je m'en fus à une autre brillante réception, je n'emmenai pas ma mère avec moi.

Elle ne s'indignait pas d'être ainsi mise de côté. Elle ne trouvait pas injuste son destin d'isolée, son pauvre destin de rester cachée et de ne pas connaître mes relations, mes idiotes relations mondaines, cette sale bande de bien élevés. Elle savait qu'elle ne connaissait pas ce qu'elle appelait

« les grands usages ». Elle acceptait, bon chien fidèle, son petit sort d'attendre, solitaire dans mon appartement et cousant pour moi, d'attendre mon retour de ces élégants dîners dont elle trouvait naturel d'être bannie. Attendre dans son obscurité, tout en cousant pour son fils, humblement attendre le retour de son fils lui suffisait. Admirer son fils revenu, son fils en smoking ou en habit et bien-portant, suffisait à son bonheur. Apprendre de lui les noms des importants convives lui suffisait. Connaître en détail les divers plats du luxueux menu et les toilettes des dames décolletées, de ces grandes dames qu'elle ne connaîtrait jamais, lui suffisait, suffisait à cette âme sans fiel. Elle savourait de loin ce paradis dont elle était exclue. Ma bien-aimée, je te présente à tous maintenant, fier de toi, fier de ton accent oriental, fier de tes fautes de français, follement fier de ton ignorance des grands usages. Un peu tardive, cette fierté.

XI

Un jour, à Genève, lui ayant donné rendez-vous à cinq heures dans le square de l'Université, je n'arrivai, retenu par une blondeur, qu'à huit heures du soir. Elle ne me vit pas venir. Je la considérai, la honte au cœur, qui m'attendait patiemment, assise sur un banc, toute seule, dans le jour tombé et l'air refroidi, avec son pauvre manteau trop étroit et son chapeau affaissé sur le côté. Elle attendait là, depuis des heures, docilement, paisiblement, un peu somnolente, plus vieille d'être seule, résignée, habituée à la solitude, habituée à mes retards, sans révolte en son humble attente, servante, pauvre sainte poire. Attendre son fils pendant trois heures, quoi de plus naturel et n'avait-il pas tous les droits? Je le hais, ce fils. Elle m'aperçut enfin et elle se remit à vivre, toute de moi dépendante. Je revois son sursaut de vitalité revenue, je la revois passant brusquement de l'hébétude à la vie, rajeunie, brusquement passant de sa somnolence d'esclave ou de chien fidèle à un extrême intérêt à vivre. Elle ajusta son chapeau et ses traits, car elle tenait à

70

me faire honneur. Et ensuite, Maman vieillissante, elle eut ses deux gestes à elle, d'où lui étaient-ils venus et en quelle enfance avaient-ils été puisés? Je les revois si bien, ses deux gestes gauches et poétiques quand, de loin, elle me voyait arriver. Le terrible des morts, c'est leurs gestes de vie dans notre mémoire. Car alors, ils vivent atrocement et nous n'y comprenons plus rien.

Tes deux gestes sempiternels, chaque fois que tu me voyais arriver au rendez-vous. D'abord, les yeux éclairés de bonheur timide, tu me désignais inutilement de l'index, avec un ravissement plein de dignité, pour me montrer que tu m'avais vu, en réalité pour te donner une contenance. Je réprimais parfois une sorte de fou rire agacé et honteux devant cet absurde geste, attendu et si connu, que tu avais de me désigner à personne. Et puis, chérie, tu te levais et venais à ma rencontre, rougissante, confuse, exposée, souriant de gêne d'être vue à distance et observée trop longuement. Maladroite, débutante, tu avançais avec un sourire ravi et honteux de petite fille pas dégourdie, tes yeux me scrutant cependant pour savoir si je ne critiquais pas intérieurement. Pauvre Maman, tu avais si peur de me déplaire, de n'être pas assez occidentale à mon gré. Et alors, tu avais ton second geste de timidité. Comme je le connais et comme il est vivant dans mes yeux qui voient trop tous les passés. Tu portais ta petite main à la commissure de ta lèvre, tandis que tu avançais vers moi, ton autre main en balancier scandant ta marche pénible. C'était un geste de notre Orient, le geste des vierges honteuses qui se cachent un peu le visage. Ou peut-être, ce geste, c'était pour dissimuler ta petite cicatrice, vieille Maman, éternelle fiancée. Que je suis ridicule d'expliquer cet humble trésor de tes deux gestes, ô ma vivante, ma royale morte. Je sais bien que ce que je dis de tes deux gestes n'intéresse personne et que tous, certes, se fichent de tous.

Jamais plus sur un banc de square tu ne m'attendras. Tu m'as abandonné, tu ne m'as pas attendu, tu as quitté ton banc, tu n'as plus eu le courage d'attendre le retour de ton fils. Cette fois, il t'a fait trop attendre. Il était trop en retard au rendez-vous et tu es partie. C'est la première méchanceté que tu m'aies faite. Je suis seul maintenant et c'est à mon tour d'attendre sur le banc automnal de la vie, sous le vent froid qui gémit dans le crépuscule et soulève les feuilles mortes en néfastes tourbillons odeur d'anciennes chambres, à mon tour d'attendre ma mère qui ne vient pas, qui ne viendra plus au rendez-vous, ne viendra plus. Ces gens qui passent devant moi sont inutiles et vivants, salement vivants. Je leur lance un regard malade et, lorsque je vois une vieille vivante, je pense à ma mère qui était belle et je dis en moi-même « Charmante mignonne » à l'affreuse vieille. Piteuse vengeance. Je suis malheureux, Maman, et tu ne viens pas. Je t'appelle, Maman, et tu ne réponds pas. Ceci est horrible car elle m'a toujours répondu et elle accourait si vite quand je l'appelais. Maintenant, fini, à jamais silencieuse. Silence entêté, surdité obstinée, terrible insensibilité des morts. Êtes-vous heureux au moins, bien-aimés, heureux d'être enfin débarrassés de ces méchants vivants?

XII

Elle m'a attendu trois heures dans ce square. Ces trois heures, j'aurais pu les passer avec elle. Tandis qu'elle m'attendait, auréolée de patience, je préférais, imbécile et charmé, m'occuper d'une de ces poétiques demoiselles ambrées, abandonnant ainsi le grain pour l'ivraie. J'ai perdu trois heures de la vie de ma mère. Et pour qui, mon Dieu ? Pour une Atalante, pour un agréable arrangement de chairs. J'ai osé préférer une Atalante à la bonté la plus sacrée, à l'amour de ma mère. Amour de ma mère, à nul autre pareil.

D'ailleurs, la poétique demoiselle, si j'avais perdu, par quelque mal soudain, ma force ou simplement toutes mes dents, elle aurait dit à sa femme de chambre, en me désignant, de balayer cette ordure édentée. Ou, plus noblement, cette musicale donzelle aurait senti, soudain purement senti et eu la spirituelle révélation qu'elle ne m'aimait plus et que ce serait impur de ne pas vivre dans la vérité et de continuer à voir un homme qu'elle n'aimait plus. Son âme se serait envolée à tire-d'aile. Ces nobles personnes aiment les hommes forts, énergiques, affirmatifs, les gorilles, quoi. Édentés ou non, forts ou faibles, jeunes ou vieux, nos mères nous aiment. Et plus nous sommes faibles et plus elles nous aiment. Amour de nos mères, à nul autre pareil.

Petite remarque en passant. Si le pauvre Roméo avait eu tout à coup le nez coupé net par quelque accident, Juliette, le revoyant, aurait fui avec horreur. Trente grammes de viande de moins, et l'âme de Juliette n'éprouve plus de nobles émois. Trente grammes de moins et c'est fini, les sublimes gargarismes au clair de lune, les « ce n'est pas le jour, ce n'est pas l'alouette[27] ». Si Hamlet avait, à la suite de quelque trouble hypophysaire, maigri de trente kilos, Ophélie[28] ne l'aimerait plus de toute son âme. L'âme d'Ophélie pour s'élever à de divins sentiments a besoin d'un minimum de soixante kilos de biftecks. Il est vrai que si Laure était devenue soudain cul-de-jatte, Pétrarque lui aurait dédié de moins mystiques poèmes. Et pourtant, la pauvre Laure, son regard serait resté le même et son âme aussi. Seulement, voilà, il lui faut des cuissettes à ce monsieur Pétrarque, pour que son âme adore l'âme de Laure. Pauvres mangeurs de viande que nous sommes, nous, avec nos petites blagues d'âme. Assez, mon ami, ne développe plus, on a compris.

Amour de ma mère, à nul autre pareil. Elle perdait tout jugement quand il s'agissait de son fils. Elle acceptait tout de moi, possédée du génie divin qui divinise l'aimé, le pauvre aimé si peu divin. Si, un soir, je lui proposais d'aller au cinéma, elle disait aussitôt que oui, c'était une merveilleuse idée « et parfaitement, que diable, il faut se divertir et jouissons de la vie tandis que nous sommes en vie et vraiment il est fou d'être sages et pourquoi resterions-nous calfeutrés à la maison, comme des vieux, et je suis prête, mon chéri, je n'ai que mon chapeau à mettre ». (Elle n'avait jamais que son chapeau à mettre, même la nuit où, mélancolique à cause d'une blonde fée et infante, je la réveillai à minuit pour lui demander de sortir avec moi.) Mais si je changeais malicieusement d'avis, parce que je savais ce qui allait se passer, et si je disais que je préférais en somme rester à la maison, immédiatement elle approuvait, non pour m'être agréable, mais par sincérité passionnée et tout explosive, toutes mes décisions étant remarquablement justes. Elle approuvait, sans même savoir qu'elle se contredisait, et elle me disait que « parfaitement, ce sera si agréable de rester gentiment au chaud à la maison et de parler ensemble au lieu d'aller voir ces bêtises de cinéma où la femme est toujours tellement bien coiffée, même quand elle est malade, et d'ailleurs il fait mauvais dehors et puis ce sera fatigant de rentrer tard à la maison et puis, la nuit, il y a des voleurs dans les rues, ces fils de Satan qui vous arrachent votre sac ». Ainsi, au sujet du cinéma, si je changeais malicieusement quatre fois d'avis, quatre fois elle changeait sérieusement d'avis, se contredisant avec la même foi. « Tu te mettras au lit, me disait-elle, si ma dernière décision était contre le cinéma, et moi je resterai près de ton lit jusqu'à ce que tu t'endormes et si tu veux je te raconterai l'histoire des fiançailles manquées de Diamantine, la fille du savonnier, celle qui n'avait qu'une dent et pas de cou, tu sais, et comme quoi ce fut une souris qui fut la cause du drame. Que je te conte et te raconte, mon fils. Sache, mon fils, qu'en ces temps passés, car il y a longtemps et la pauvre Diamantine est morte et elle est bien où elle est mais nous sommes encore mieux ici, en bas, sache mon fils... » commençait-elle. Et moi j'écoutais avec délices, béat, flatté, physiquement charmé. Car j'étais amoureux des interminables histoires de ma mère, qu'elle compliquait d'incidentes généalogiques et entrecoupait de friandises miraculeusement surgies d'une valise, interrompant parfois le fil de son histoire pour s'inquiéter de n'avoir pas reçu de lettre de mon père. Mais je la rassurais virilement et mon obéissante mère se laissait convaincre et me racontait d'infinies histoires douloureuses ou bouffonnes du ghetto où je suis né et je ne les oublierai jamais. Parfois, comme je voudrais retourner dans ce ghetto, y vivre entouré de rabbins qui sont comme des femmes à barbe, y vivre de cette vie aimante, passionnée, ergoteuse, un peu nègre et folle.

Amour de ma mère. Elle était avec moi comme un de ces chiens aimants, approbateurs et enthousiastes, ravis d'être avec leur maître. La naïve ardeur de son visage m'émouvait, et son adorable faiblesse et cette bonté dans ses yeux. Leurs politiques éphémères? Ce n'est pas mon affaire et qu'ils se débrouillent. Leurs nations, dans dix siècles disparues? L'amour de ma mère est immortel.

Amour de ma mère. Elle approuvait mes caprices. Elle approuvait d'aller au bar automatique manger, en bons complices, des sandwiches, parce qu'il est sage d'économiser « et ne gaspille pas l'argent que tu gagnes avec ton cerveau, mon enfant ». Mais elle approuvait aussi d'aller au restaurant le plus cher, parce que la vie est courte. Étrange, cet être le plus aimant, ma mère, par quel mystère me suis-je tenu souvent loin d'elle, évitant les baisers et le regard, pourquoi et quelle fut cette cruelle pudeur? Trop tard. Jamais plus je ne la reverrai débarquant de son train à Genève et m'apportant, épanouie, son tribut, des louis d'or qu'elle avait mis secrètement de côté. Une fois, pendant son séjour, elle me prépara une folie de gelée de groseilles, plus de cent pots, pour être sûre que je ne manquerais pas de douceurs lorsqu'elle repartirait. Pendant ses séjours auprès de moi, elle ne voulait rien d'autre que cuisiner abondamment pour moi et, ensuite, parée comme une malhabile reine et corsetée et plus fière et lente qu'un cuirassé à la présomptueuse proue, sortir l'après-midi avec Son Fils, lentement, convenablement.

Amour de ma mère. Jamais plus je n'irai, dans les nuits, frapper à sa porte pour qu'elle tienne compagnie à mes insomnies. Avec la légèreté cruelle des fils, je frappais à deux heures ou trois heures du matin et toujours elle répondait, réveillée en sursaut, qu'elle ne dormait pas, que je ne l'avais pas réveillée. Elle se levait aussitôt et venait en peignoir, trébuchante de sommeil, me proposer son cher attirail maternel, un lait de poule ou même de la pâte d'amandes. Faire de la pâte d'amandes à trois heures du matin pour son fils, quoi de plus naturel ? Ou bien, elle proposait un bon petit café au lait bien chaud que nous boirions gentiment ensemble en causant infiniment. Elle ne trouvait rien de déraisonnable à boire du café avec moi, au pied de mon lit, à trois heures du matin, et à me raconter jusqu'à l'aube d'anciennes disputes familiales, sujet en lequel elle était experte et passionnée.

Plus de mère pour rester auprès de moi jusqu'à ce que je m'endorme. Le soir, en me couchant, je mets quelquefois une chaise près de mon lit pour me tenir compagnie. Faute de mère, on se contente de chaise. Le milliardaire de l'amour reçu est devenu clochard. Si tu as une insomnie, une de ces nuits, débrouille-toi tout seul, mon ami, et surtout ne frappe à aucune porte. Et si tu te remaries avec cette brune qui t'a plu l'autre jour, garde-toi de frapper à sa porte à trois heures du matin. Tu serais bien reçu. « J'entends que l'on respecte mon sommeil », te dirait-elle, les yeux glacés et le menton carré. Amour de ma mère, à nul autre pareil. Oui, je sais que je ressasse et remâche et me répète. Ainsi est la ruminante douleur aux mandibules en veule mouvement perpétuel. Ainsi je me venge de la vie en me rabâchant, le cœur peu gaillard, la bonté de ma mère enfouie.

Amour de ma mère, jamais plus. Elle est en son définitif berceau, la bienfaitrice, la douce dispensatrice. Jamais plus elle ne sera là pour me gronder si je me fais des idées. Jamais plus là pour me nourrir, pour me donner vie chaque jour, pour me mettre au monde chaque jour. Jamais plus là pour me tenir compagnie pendant que je me rase ou que je mange, me surveillant, passive mais attentive sentinelle, tâchant de deviner si j'aime vraiment ces losanges aux noix qu'elle m'a préparés. Jamais plus elle ne me dira de manger moins vite. J'adorais être traité en enfant par elle.

Jamais plus, ses courts sommeils subits de vieillissante cardiaque en son fauteuil, et lorsque je lui demandais si elle dormait, elle répondait toujours, brusquement réveillée, qu'elle avait seulement un peu fermé les yeux. Et elle se levait tout de suite pour servir, pour me proposer de manger plus tôt, et que sais-je, mon Dieu, tout le reste, toutes ses bontés. O Maman, ma jeunesse perdue. Complaintes, appels de ma jeunesse sur l'autre rive.

Par amour pour moi, elle dominait sa peur des bêtes et elle parvenait à aimer ma jolie chatte. Elle caressait gauchement cette bête dont les mobiles lui échappaient, cette bête à griffes toujours prête à transgresser les Dix Commandements, mais qui n'en était pas moins aimée de son fils et par conséquent charmante certainement. Elle la caressait tout de même d'assez loin, et avec une petite main toute prête à se retirer. De son amour, je revois tout, son épanouissement timide à la gare, lorsqu'elle m'apercevait sur le quai, sa maladroite petite main, le jour où elle avait pris sous ma dictée, avec tant de fautes d'orthographe et de bonne volonté, des pages d'un livre de moi auxquelles elle ne comprenait saintement que dalle. Je me souviens, je me souviens, et ce n'est pas le meilleur de mes biens.

Amour de ma mère. Jamais plus je n'aurai auprès de moi un être parfaitement bon. Mais pourquoi les hommes sont-ils méchants? Que je suis étonné sur cette terre. Pourquoi sont-ils si vite haineux, hargneux? Pourquoi adorent-ils se venger, dire vite du mal de vous, eux qui vont bientôt mourir, les pauvres? Que cette horrible aventure des humains qui arrivent sur cette terre, rient, bougent, puis soudain ne bougent plus, ne les rende pas bons, c'est incroyable. Et pourquoi vous répondent-ils si vite mal, d'une voix de cacatoès, si vous êtes doux avec eux, ce qui leur donne à penser que vous êtes sans importance, c'est-à-dire sans danger? Ce qui fait que des tendres doivent faire semblant d'être méchants, pour qu'on leur fiche la paix, ou même, ce qui est tragique, pour qu'on les aime. Et si on allait se coucher et affreusement dormir? Chien endormi n'a pas de puces. Oui, allons dormir, le sommeil a les avantages de la mort sans son petit inconvénient. Allons nous installer dans l'agréable cercueil. Comme j'aimerais pouvoir ôter, tel l'édenté son dentier qu'il met dans un verre d'eau près de son lit, ôter mon cerveau de sa boîte, ôter mon cœur trop battant, ce pauvre bougre qui fait trop bien son devoir, ôter mon cerveau et mon cœur et les baigner, ces deux pauvres milliardaires, dans des solutions rafraîchissantes tandis que je dormirais comme un petit enfant que je ne serai jamais plus. Qu'il y a peu d'humains et que soudain le monde est désert.

Pendant ses séjours à Genève, elle m'attendait toujours à la fenêtre. Personne ne m'attendra comme elle à la fenêtre, pendant des heures. Je revois son visage à la fenêtre penché, trop gros et tout de moi empli, si concerné et attentif, un peu vulgaire d'excessive attention, les yeux fixés sur le tournant du trottoir. Elle m'apparaît toujours comme celle qui était à la fenêtre. À la fenêtre et au guet quand je rentrais du travail. Je levais la tête et c'était doux de voir d'en bas ce visage lourd d'attente, cette pensée qui m'attendait, et j'étais filialement rassuré. Maintenant, chaque fois que je rentre chez moi, cette vieille habitude de lever les yeux vers la fenêtre. Mais il n'y a jamais personne à la fenêtre. Qui a besoin de se mettre à la fenêtre pour m'attendre ?

Quand je sortais, elle était aussi à la fenêtre, pour rester une minute de plus avec moi et contempler cette forme disparaissante qui était son fils, son lot sur cette terre, son cher fils qu'elle regardait s'éloigner, qu'elle regardait peut-être avec cette étrange et pénétrante pitié que nous avons pour ceux que nous aimons et dont nous connaissons le secret dénuement, cette même aiguë pitié que j'éprouve pour mes aimés lorsque, de ma fenêtre, je les vois dans la rue, seuls et si perdus et désarmés, marchantes catastrophes, et ne se doutant pas que je les regarde. Et mes aimés ne sont pas seulement ma fille et Marianne[29] et quelques autres, mais tous les hommes dans la rue, tous si ratés et chers, et que je n'aime que de loin car de près ils ne sentent pas toujours la rose. Oui, je levais la tête vers ma mère, une fois ou deux fois, rassuré, protégé, mais ne comprenant pas assez mon bonheur. Maintenant, quand je sors de chez moi, je lève encore la tête, quelque peu perdu et hagard. Mais il n'y a jamais personne à la fenêtre.

Jamais plus elle ne me soignera, elle, la seule. La seule qui jamais n'aurait été impatiente, ma maladie aurait-elle duré vingt ans et aurais-je été le plus insupportable des malades. Elle est la seule qui ne m'aurait pas soigné par devoir ou par affection. Mais par besoin. Parce que, moi malade, la seule chose intéressante pendant vingt ans aurait été de me soigner. Ainsi était-elle. Toutes les autres femmes ont leur cher petit moi autonome, leur vie, leur soif de bonheur personnel, leur sommeil qu'elles protègent et gare à qui y touche. Ma mère n'avait pas de moi, mais un fils. Peu lui importait de ne pas dormir ou d'être lasse si j'avais besoin d'elle. Que me reste-t-il à aimer maintenant, de ce même amour sûr de n'être jamais déçu ? Un stylo, un briquet, ma chatte.

O toi, la seule, mère, ma mère et de tous les hommes, toi seule, notre mère, mérites notre

84

confiance et notre amour. Tout le reste, femmes, frères, sœurs, enfants, amis, tout le reste n'est que misère et feuille emportée par le vent.

Il y a des génies de la peinture et je n'en sais rien et je n'irai pas y voir et ça ne m'intéresse absolument pas et je n'y connais rien et je n'y veux rien connaître. Il y a des génies de la littérature et je le sais et la comtesse de Noailles[30] n'est pas l'un d'eux, ni celui-ci, ni celui-là surtout. Mais ce que je sais plus encore, c'est que ma mère était un génie de l'amour. Comme la tienne, toi qui me lis. Et je me rappelle tout, tout, ses veilles, toute la nuit, auprès de moi malade, sa bouleversante indulgence, et la belle bague qu'elle avait, avec quelque regret mais avec la faiblesse de l'amour, si vite accepté de m'offrir. Elle était si vite vaincue par son écervelé de vingt ans. Et ses secrètes économies, à moi seul destinées quand j'étais étudiant, et toutes ses combines pour que mon père n'apprenne pas mes folies et ne se fâche pas contre le fils dépensier. Et sa naïve fierté, lorsque le rusé tailleur lui avait dit, pour l'embobiner, que son fils de treize ans avait « du cachet ». Comme elle avait savouré ce mot affreux. Et ses doigts secrètement en cornes contre le mauvais œil quand des femmes regardaient son petit garçon de merveille. Et, durant ses séjours à Genève, sa valise toujours pleine de douceurs, ces douceurs qu'elle appelait « consolations de la gorge » et qu'elle achetait secrètement, en prévision de quelque envie subite de ma part. Et sa main qu'elle me tendait soudain, brusquement, pour serrer la mienne, comme à un ami. « Mon petit kangourou », me disait-elle. Tout cela est si proche. C'était il y a quelques milliers d'heures.

Amour de ma mère, à nul autre pareil. Ma fille m'aime. Mais tandis que je suis tout seul à écrire, elle est en train de déjeuner avec un crétinet, épris d'art et de beauté. (Il prononce bottai.) Ma fille m'aime, mais elle a sa vie et elle me laisse seul. Ma mère était mon gui. Rien d'autre n'importait que de coudre auprès de moi. Aspirant un peu de salive, elle cousait et puis nous nous regardions et je me sentais à ma place, rassuré, un fils. Ensuite, elle se levait, allait dans sa chère cuisine, passerelle de son commandement, faire ses petites tâches sacrées, faire ses inutiles tapotements sur les boulettes, mettre d'affreux papiers dentelés sur les étagères. Et puis elle m'appelait pour me faire apprécier les papiers dentelés et elle me regardait pour voir si j'approuvais. De ces humbles choses est fait un sublime amour.

Celui-ci, c'est des passions qu'il lui faut et de jeunes chasseresses aux longues cuisses ou de merveilleuses stars qui, entre parenthèses, se mouchent dans les mouchoirs et il n'en sort pas des perles. C'est son affaire et grand bien lui fasse.

Moi, c'est ma mère qui m'importe, et surtout Maman en sa vieillesse, ses cheveux blancs et ses bavardages enthousiastes que d'avance je savais par cœur. Moi, c'est ma vieille mère, oui, et le dentier de ses dernières années, le dentier qu'elle lavait sous le robinet. Elle était mignonne quand elle était sans son dentier, si désarmée, si bonne d'être inoffensive comme un nourrisson tout en gencives, enfantine et prononçant mal sans ses fausses dents, mais par maternelle coquetterie se retenant de rire et mettant sa main contre sa bouche vide. Avec elle seule je n'étais pas seul. Maintenant je suis seul avec tous.

Avec les plus aimés, amis, filles et femmes aimantes, il me faut un peu paraître, dissimuler un peu. Avec ma mère, je n'avais qu'à être ce que j'étais, avec mes angoisses, mes pauvres faiblesses, mes misères du corps et de l'âme. Elle ne m'aimait pas moins. Amour de ma mère, à nul autre pareil.

Avec elle seule, j'aurais pu vivre loin du monde. Jamais elle ne m'aurait jugé ou critiqué. Jamais elle n'aurait, comme d'autres, pensé : il ne publie plus de livres, ou : il vieillit. Non. Mon fils, se serait-elle dit avec foi. Eh bien, moi, je t'envoie, les yeux ennoblis par toi, je t'envoie à travers les espaces et les silences, ce même acte de foi, et je te dis gravement : ma Maman.

XIII

Ses larmes à la gare de Genève, le soir du départ
pour Marseille, lorsque la locomotive lançait son
hystérie de folle désespérée, avec les bruits de fer
et la vapeur qui s'échappait sous les essieux. À la
portière du wagon, elle me considérait si tendrement, avec folie et malheur, sans plus se soucier
d'être élégante et bien vêtue. Elle savait qu'elle
allait me quitter pour un an et que ma vie était
séparée de son humble vie par un abîme que je
hais maintenant. Oh, la bénédiction en larmes
d'elle à la portière, d'elle me regardant tellement,
d'elle soudain si vieille, défaite et décoiffée et le
chapeau mal mis et absurdement de travers, la
bénédiction d'elle, exposée, déconfite, misérable,
vaincue, paria, si dépendante et obscure, un peu
folle de malheur, un peu imbécile de malheur.
Finie, la merveille d'être ensemble, la pauvre fête
de sa vie. Sa panique de malheur à la portière du
train qui s'ébranlait, qui allait l'emporter vers sa
vie de solitude, qui l'emportait, impuissante et
condamnée, loin de son fils, tandis qu'elle me
bénissait et pleurait et me balbutiait des remercie-

ments. Étrange, je ne prenais pas assez ses larmes au sérieux. Étrange que je ne m'aperçoive que maintenant que ma mère était un être humain, un être autre que moi et avec de vraies souffrances. Peut-être allais-je le soir même vers mon amante.

Un fils m'a dit, et c'est lui qui parle maintenant. Moi aussi, m'a dit ce fils aux yeux cernés, j'ai perdu ma mère. Moi aussi, je vivais loin d'elle et elle venait me voir chaque année pour quelques semaines qui étaient aussi la pauvre féerie de sa vie. Moi aussi, dit ce fils, le soir même de son départ, au lieu de pleurer toute la nuit mon incomparable, j'allais, triste mais vite consolé, vers une comparable, une des exquises diablesses de ma vie et qui avait nom Diane[31], Diane religieuse d'amour. J'allais, sans presque plus penser à ma mère dont la tête dodelinait, abrutie de douleur, dans le train qui l'éloignait de moi et où elle ne pensait qu'à son fils, ce fils qui, en ce même moment, sans plus penser à sa mère, toute seule et petite dans son train, riait d'amour dans le taxi qui le rapprochait de Diane, pécheur plaisir de dire ce nom. Et je profitais de ce que le moteur du taxi faisait grand tapage pour chanter à tue-tête des chants d'amour, sans crainte des commentaires du chauffeur auquel j'allais donner tout à l'heure un étincelant pourboire, tant j'étais heureux de revoir enfin Diane.

Tandis que ma mère pleurait dans son train et se mouchait, me dit ce fils qui me déplaît, je regardais avec joie mon jeune visage dans la glace du taxi, ces lèvres que Diane allait si terriblement baiser dans quelques minutes, et je chantais, vibrant d'impatience, des chants écœurants de stupide passion et surtout le nom bien-aimé de la blonde démone qui avait nom Diane, Diane élancée et fervente et trop intelligente, vers qui le taxi à grande allure me conduisait, admirablement rasé, admirablement vêtu et tout désireux. Et c'était soudain la villa, où menait sa vie d'orpheline la plus belle et fastueuse des jeunes filles qui m'attendait sur le seuil et sous les roses, haute en sa blanche robe de toile sous laquelle était sa dure nudité à moi seul consacrée, Diane vive et ensoleillée et diablement jalouse, et poétesse quoique athlétique, et sensuelle quoique idéaliste, et chantant des cantiques le dimanche, Diane, nourrie de soleil et de fruits, et qui m'envoyait de ses voyages des télégrammes de cent mots d'amour, oui, toujours des télégrammes, afin que l'aimé sût tout de suite combien l'aimante aimée l'aimait sans cesse, Diane qui me téléphonait à trois ou quatre heures du matin pour me demander si je l'aimais toujours et pour m'annoncer « que je t'aime et je t'aime comme une imbécile et je me dégoûte de t'aimer tellement, mon bien-aimé, et jamais paysanne roumaine aux longues tresses n'a regardé son homme avec autant de confiante adoration ».

Cette nuit du départ de ma mère, me dit ce fils, Diane me raccompagna chez moi et, dans l'appartement que ma mère avait béni avant de partir, j'osai dénuder Diane impatiente. Après l'ardeur, avec tant de baisers tatoués sur nos faces, nous nous endormîmes au fond du précipice de la joie et dans le lit odorant, et nous avions le même jeune sourire rassasié dans le sommeil, tandis que ma vieille mère me bénissait et se mouchait dans son train qui l'emportait loin de moi. O honte. Fils et filles, maudite engeance.

Ainsi m'a parlé ce fils. Comme lui, peut-être, le soir du départ de ma mère, le soir même où, debout et piteuse à la portière du wagon, elle m'avait remercié et béni de ses mains écartées en rayons, béni de toute sa face illuminée de lentes larmes, comme lui, peut-être, j'allais, quittant en hâte la gare, j'allais avec impatience, fils que j'étais, vers une amante adorante, odorante, tournoyante, virevoltante, une Atalante ensoleillée. O cruauté de jeunesse. Bien fait que je souffre maintenant. Ma souffrance est ma vengeance contre moi-même. Elle attendait tout de moi avec sa figure un peu grosse, toute aimante, si naïve et enfantine, ma vieille Maman. Et je lui ai si peu donné. Trop tard. Maintenant le train est parti pour toujours, pour le toujours. Défaite et décoiffée et bénissante, ma mère morte est toujours à la portière du train de la mort. Et moi je vais derrière le train qui va et je m'essouffle, tout pâle et transpirant et obséquieux, derrière le train qui va emportant ma mère morte et bénissante.

XIV

Dans mon sommeil, qui est la musique des tombes, je viens de la voir encore, belle comme en sa jeunesse, mortellement belle et lasse, si tranquille et muette. Elle allait quitter ma chambre et je l'ai rappelée d'une voix hystérique qui me faisait honte dans le rêve. Elle m'a dit qu'elle avait des choses urgentes à faire, une étoile juive à faire coudre sur l'ours de peluche qu'elle avait acheté pour son petit garçon peu après notre arrivée à Marseille. Mais elle a accepté de rester encore un peu, malgré l'ordre de la Gestapo. « Pauvre orphelin », m'a-t-elle dit. Elle m'a expliqué que ce n'était pas sa faute si elle était morte et qu'elle tâcherait de venir me voir quelquefois. Puis elle m'a assuré qu'elle ne téléphonerait plus à la comtesse. « Je ne le ferai plus, je demande pardon », m'a-t-elle dit en regardant ses petites mains où des taches bleues étaient apparues. Je me suis réveillé et toute la nuit j'ai lu des livres pour qu'elle ne revienne pas. Mais je la rencontre dans tous les livres. Va-t'en, tu n'es pas vivante, va-t'en, tu es trop vivante.

Dans un autre rêve, je la rencontre dans une fausse rue, une rue de film, en France occupée. Mais elle ne me voit pas et je la contemple avec un mal au cœur de pitié, petite vieille courbée et presque mendiante, ramassant des trognons de choux après la clôture du marché et les mettant dans une valise où il y a une étoile jaune. Elle est un peu carabosse et habillée comme un pope avec un drôle de chapeau noir cylindrique, mais je n'ai pas envie de rire. Je l'embrasse dans la rue glissante où passe un fiacre dans lequel est quelqu'un qui est Pétain. Alors, elle ouvre la valise consolidée de ficelles et elle en sort un ours en peluche et de la pâte d'amandes qu'elle a gardée pour moi, et malgré la famine française elle n'y a jamais touché. Quelle fierté de lui porter sa valise. Elle a peur que ça me fatigue et je me fâche contre elle parce qu'elle veut continuer à porter cette valise. Mais je sens qu'elle est contente que je me sois fâché, car c'est signe que je suis en bonne santé. Elle me dit soudain qu'elle aurait préféré que je sois médecin, avec un beau salon et une lionne de bronze, et que j'aurais été plus heureux ainsi. « Maintenant que je suis morte, je peux bien te le dire. » Puis elle me demande si je me rappelle notre promenade, le jour des souliers de daim. « On était heureux », me dit-elle. Pourquoi ai-je sorti de ma poche un énorme faux nez de carton ? Pourquoi m'en suis-je affublé royalement et pourquoi maintenant, Maman et moi, marchons-nous

94

royalement dans la rue chuchotante de méfiances ? La bizarre toque de Maman est maintenant une couronne, mais de carton aussi, et un cheval malade nous suit, toussant et tombant à grandes étincelles dans la nuit humide. Un antique carrosse, dédoré et incrusté de petits miroirs, bringuebale et tangue derrière le doux cheval poitrinaire qui tombe et se relève et tire le carrosse de cour avec des hochements sages, et ses yeux soyeux sont tristes mais intelligents. Je sais que c'est le carrosse de la Loi morale, éternel et beau. Maman et moi nous sommes maintenant dans le carrosse et nous saluons gravement une foule qui rit et se moque parce que ce carrosse n'est pas un tank de soixante tonnes et la foule nous lance des œufs pourris tandis que ma mère lui montre les rouleaux sacrés des Dix Commandements. Alors, ma mère et moi, on pleure. Jérusalem, me dit-elle soudain, et le vieux cheval malade fait un grand solennel hochement de tête, puis il tourne sa tête vers nous et ses yeux sont très bons, et je répète Jérusalem, et je sais que la signification est aussi Maman, et je me réveille et je m'épouvante de ma solitude.

Ce que les morts ont de terrible, c'est qu'ils sont si vivants, si beaux et si lointains. Si belle elle est, ma mère morte, que je pourrais écrire pendant des nuits et des nuits pour avoir cette présence auprès de moi, forme auguste de mort, forme allant lentement auprès de moi, royalement allant, protectrice encore qu'indifférente et effrayamment calme, ombre triste, ombre aimante et lointaine, calme plus que triste, étrangère plus que calme. Dénoue tes sandales[32] car ceci est un lieu sacré où je dis la mort.

Dans mes sommeils, elle est vivante et m'explique qu'elle vit cachée dans un lointain hameau, sous un faux nom, dans un hameau perdu dans la montagne où elle reste cachée par amour pour moi, chez des paysans. Elle m'explique qu'elle est obligée d'y rester, qu'elle est venue me voir en secret, mais que si certaines autorités savaient qu'elle n'est pas morte, cela aurait de mauvaises conséquences. Elle est aimante dans ces rêves, mais peut-être moins que dans la vie, douce mais un peu étrangère, tendre mais non passionnée, affectueuse mais avec une évasive affabilité et une lenteur dans la parole que je ne lui connaissais pas. On me l'a changée chez les morts. Dans ces rêves, jamais elle ne me considère vraiment et toujours ses regards semblent aller ailleurs, comme vers de secrètes importances désormais plus graves que son fils. Les morts regardent toujours ailleurs, et c'est terrible. Et je ne me dissimule pas, dans ces rêves, que si elle m'aime encore, c'est parce qu'elle m'a tant aimé autrefois qu'elle ne peut pas ne pas m'aimer encore, quoique moins. Puis elle me redit, toujours avec cet incompréhensible calme qui me paraît entaché de moindre tendresse, qu'il lui faut maintenant retourner dans le village où elle se cache. Et je contracte dans ces rêves son inquiétude qu'on apprenne qu'elle est en vie. Car, dans ces rêves, elle est en contrebande dans la vie et il est coupable qu'elle ne soit pas morte. Mais tout cela est folie. Ce n'est pas dans un village mais dans de la terre odeur de terre qu'elle est cachée. Et la vérité est qu'elle ne me parlera plus, ne se préoccupera plus de moi. Effrayante et égoïste solitude des morts étendus. Combien vous ne nous aimez plus, morts aimés, chers infidèles. Vous nous laissez seuls, seuls et ignorants.

XV

Je ne la veux pas dans les rêves, je la veux dans la vie, ici, avec moi, bien vêtue par son fils et fière d'être protégée par son fils. Elle m'a porté pendant neuf mois et elle n'est plus là. Je suis un fruit sans arbre, un poussin sans poule, un lionceau tout seul dans le désert, et j'ai froid. Si elle était là, elle me dirait : « Pleure, mon enfant, tu seras mieux après. » Elle n'est pas là et je ne veux pas pleurer. Je ne veux pleurer qu'auprès d'elle. Je veux aller me promener avec elle et l'écouter comme personne ne l'écoutait, je veux la flatter, je veux l'embobiner pour qu'elle perde son temps à me tenir compagnie pendant que je me rase ou que je m'habille. Je veux, si Tu es Dieu, prouve-le, je veux être malade et qu'elle m'apporte des médicaments à elle, des graines de lin torréfiées, moulues et mélangées à du sucre en poudre, « c'est bon pour la toux, mon enfant ». Je veux qu'elle brosse mes costumes, je veux qu'elle me raconte des histoires. J'ai été mis sur terre pour écouter les interminables histoires de ma mère. Je veux sa partialité pour moi, je veux qu'elle se fâche contre ceux qui ne m'aiment pas. Je veux lui montrer mon passeport diplomatique, pour voir son ravissement, persuadée qu'elle est, ma naïve, que c'est important d'avoir un passeport diplomatique. Je ne la détromperai pas parce que je veux qu'elle soit contente et qu'elle me bénisse. Mais je veux aussi être son petit garçon d'autrefois, je veux qu'elle me dessine son bateau qui transporte un gros nougat, je veux qu'elle me dessine ses fleurs ingénues que j'essayerai de recopier, je veux qu'elle renoue ma cravate et qu'elle me donne une petite tape après. Je veux être le petit garçon de Maman, un petit garçon très gentil qui, lorsqu'il est malade, aime tenir le bas de la jupe de Maman assise auprès du lit. Lorsque je tiens le bas de sa jupe, personne ne peut rien contre moi. Je suis ridicule de parler ainsi, à mon âge? Que je le sois.

Il est ridicule, le petit oiseau dont on a tué la mère. Sur sa branche, il fait son chant de mort, un piou piou monotone et inefficace. Cet agneau aussi est ridicule. Dans le désert, il se lamente d'avoir perdu sa mère brebis. Flageolant dans le sable, il va bientôt mourir de soif, mais il cherche sa maman dans le désert.

Je veux l'entendre superstitieusement me recommander de ne pas prononcer certains mots dangereux pendant les trois jours qui suivent la vaccination. Je veux voir sa gaucherie empesée lorsque je lui présente un de mes amis. Je veux qu'elle soit là et qu'elle me dise, comme autrefois, de ne pas trop écrire « parce que penser comme ça tout le temps c'est mauvais pour la tête et il y a des érudits, ne le sais-tu pas, mon fils, qui sont devenus fous à force de penser et je suis tranquille quand tu dors parce que au moins tu ne penses pas quand tu dors ». Je dis que je veux, je demande, mais je n'obtiens rien et Dieu m'aime si peu que j'en ai honte pour Lui.

XVI

Tout éveillé, je rêve et je me raconte comment ce serait si elle était en vie. Je vivrais avec elle, petitement, dans la solitude. Une petite maison, au bord de la mer, loin des hommes. Nous deux, elle et moi, une petite maison un peu tordue, et personne d'autre. Une petite vie très tranquille et sans talent. Je me ferais une âme nouvelle, une âme de petite vieille comme elle pour qu'elle ne soit pas gênée par moi et qu'elle soit tout à fait heureuse. Pour lui faire plaisir, je ne fumerais plus. On vaquerait gentiment, elle et moi, aux besognes du ménage. On ferait la cuisine avec de petites réflexions genre « je crois vraiment qu'un peu, mais très peu, de chicorée améliore le café » ou « il vaut mieux saler pas assez que trop, on est toujours à temps ». Avec la cuiller de bois, je ferais des tapotements, comme elle. Deux vieilles sœurs, elle et moi, et pendant que l'une égoutterait les macaronis, l'autre râperait le fromage. On balayerait tout en bavardant, on ferait briller les cuivres et, quand tout serait fini, on s'assiérait. On se sourirait d'aise et de camaraderie, on soupirerait de bonne fatigue satisfaite, on contemplerait avec bonheur notre ouvrage, notre cuisine si propre et ordonnée. Par amour et pour lui plaire, j'exagérerais ma satisfaction. Et puis on boirait du café chaud pour se récompenser et, tout en le sirotant, elle me sourirait à travers ses lunettes heurtant le bord de la tasse. On aurait quelquefois des fous rires ensemble. On se rendrait tout le temps des services souriants et menus. Le soir, après le dîner et lorsque tout serait bien en ordre, on causerait gentiment au coin du feu, elle et moi, nous regardant gentiment, deux vraies petites vieilles, si aimables et confortables et sincères, deux petites reinettes, deux malignes et satisfaites, avec pas beaucoup de dents mais bien coquines, moi par amour cousant comme elle, ma Maman et moi, copains jurés, causant ensemble, ensemble éternellement. Et c'est ainsi que j'imagine le paradis.

J'entends ma mère qui me dit avec son sourire sage : « Cette vie ne te conviendrait pas, tu ne pourrais pas, tu resterais le même. » Et elle ajoute ce qu'elle m'a dit tant de fois en sa vie : « Mon seigneur un peu fou, mon prince des temps anciens. » Elle dit encore, en se rapprochant : « Et puis, je n'aimerais pas que tu changes, ne sais-tu pas que les mères aiment que le fils soit supérieur, et même un peu ingrat, c'est signe de bonne santé. »

Je lève la tête, je me regarde dans la glace et, tandis que parle le bonhomme de la radio, je me regarde écrire, doux, sage comme une image, avec une figure soudain presque gentille, absorbé et tranquille comme un enfant occupé par un jeu très sot et défendu, absorbé, privé de poids, souriant un peu, tenant légèrement la feuille de la main gauche tandis que la droite trace enfantinement. Ce type qui écrit avec tant de soin et d'amour et qui va mourir bientôt, j'ai un peu pitié de lui.

XVII

Je suis là, devant ma table, avec mes ossements déjà préparés, à attendre que ça finisse, que mon tour vienne aussi, dans un an ou dans trois ans ou, au mieux, dans vingt ans. Mais je continue à écrire comme si j'étais immortel, avec tant d'intérêt et de soin, tel le mécanicien qui continuerait consciencieusement ses soudures sur le navire qui fait naufrage. Je suis là, trompant ma peine d'orphelin avec des signes à l'encre, attendant l'humidité noire où je serai le muet compagnon de certaines petites vies silencieuses qui avancent en ondulant. Je me vois déjà. Il y a un ver, un petit monsieur assez joli, tacheté de brun, qui vient me rendre visite. Il s'introduit dans ma narine qui ne frémit pas car elle est devenue imbécile. Ce ver est chez lui. Ma narine est sa maison et son petit garde-manger.

Lourde sur moi la terre, sur moi flegmatique qui ne protesterai pas, lourde, la terre de pluie et de silence. Et moi, tout seul, comme ma mère, tout seul, dans mon allongement sempiternel, pas très bien habillé, avec un habit pas brossé et trop large parce que monsieur est devenu un peu mince. Tout seul, le pauvre inutile dont on s'est débarrassé aussi dans de la terre, n'ayant pour compagnie que les files parallèles de ses muets collègues, ces étendus régiments de silencieux qui furent vifs, tout seul dans le noir silence, le crevé, rigolant avec sa tête de l'autre monde, tandis qu'une personne qui l'aima tant et qui a tant pleuré à l'enterrement, il y a trois ans, se demande si, pour ce bal, elle mettra sa robe blanche ou plutôt non, la rose.

XVIII

Elle ne répond jamais, celle qui répondait toujours. J'essaye de croire que c'est bien qu'elle soit morte. Une pensée douce, c'est que maintenant et morte, elle n'est plus juive et qu'ils ne peuvent plus rien contre elle, plus lui faire peur. Dans son cimetière, elle n'est plus une Juive aux yeux sur la défensive, charnellement dénégateurs de culpabilité, une Juive à la bouche entrouverte par une obscure stupéfaction héritée de peur et d'attente. Les yeux des Juifs vivants ont toujours peur. C'est notre spécialité maison, le malheur. Vous savez, dans les restaurants de luxe, il y a la tarte maison. Nous, c'est le malheur maison, spécialité de la maison, gros, demi-gros et détail. Une autre bonne pensée, c'est qu'elle ne me verra pas mourir.

Plus rien. Silence. Elle est silence. Morte, me dis-je insatiablement à la fenêtre, sous le ciel aimé des niais amants mais que les orphelins détestent car leur mère n'y est pas. Morte, me dis-je avec les petits tremblements des fous. Celle qui a pensé, espéré et chanté est morte, me dis-je, résistant à l'attrait dangereux des paradis, morte, me redis-je idiotement, avec un sourire peu consolant. C'est peu varié et pas drôle. Pour moi non plus. De grâce, ne vous moquez pas. Que ma mère soit morte, c'est en fin de compte le seul drame de ce monde. Vous ne croyez pas? Attendez un peu, quand votre tour viendra d'être l'endeuillé. Ou le mort.

Je me retourne et je vois des objets qu'elle a vus et touchés. Ils sont là, près de moi, ce stylo, cette valise. Mais elle, elle n'est pas là. Je l'appelle par son nom de majesté et elle ne répond pas. Ceci est horrible car toujours elle répondait et si vite elle accourait. Que je l'ai appelée en sa vie, pour tout, pour rien, pour me retrouver clefs ou stylos égarés, pour bavarder, et toujours elle accourait, et toujours elle découvrait les clefs ou le stylo, et toujours elle avait des histoires de l'ancien temps à me raconter. Je suis allé machinalement ouvrir la porte de ma chambre mais elle n'était pas derrière la porte.

Ce petit oiseau qui est venu picorer sur le rebord de la fenêtre, je l'ai chassé. Elle aimait regarder les petits oiseaux dodus. Ils sont inutiles maintenant et je n'en veux plus. Assez, cette musique. J'ai fermé la radio, car toutes les nobles musiques sont ma mère et ses yeux qui me chérissaient, qui me regardaient parfois avec une folie de tendresse. Maintenant, c'est une fanfare qui défile dans la rue. Comme ils sont gais, ces vivants, et comme je suis seul. Je vais aller me tenir compagnie devant la glace. C'est un passe-temps, un trompe-mort. Et puis dans la glace, il y aura quelqu'un qui sympathisera.

Je me regarde dans la glace, mais c'est ma mère qui est dans la glace. J'ai un chagrin qui devient de corps, je suis blanc et tout moite. Sur ma joue, ce ne sont pas des larmes, ce privilège des peu malheureux, mais des gouttes qui coulent du front. Ces sueurs de la mort de ma mère sont glacées. Et soudain, c'est une indifférence de malheur, une anesthésie de malheur, un petit amusement de malheur qui me fait, devant la glace, machinalement presser le globe de mon œil. Ça fait une illusion d'optique et je vois dans la glace deux orphelins. Et avec moi, ça fait trois et ça tient compagnie. Douleur peu poétique, peu noble. De faire ce petit jeu de presser mon œil me donne un morne intérêt à vivre, un semblant de m'intéresser à quelque chose. Manger un gâteau pour faire quelque chose ? Non, je veux ses gâteaux à elle. Il me reste une glace et mon égarement que j'y regarde, que je regarde en souriant pour avoir envie de faire semblant de vivre, tout en murmurant avec un petit rire un peu fou que tout va très bien, Madame la Marquise[33], et que je suis perdu. Perdu, perdi, perdo, perda. C'est une découverte que je fais. On s'amuse un peu dans le malheur.

Maintenant, c'est la nuit. Pour ne plus penser à ma mère, je suis sorti dans le jardin. Ma douleur et ma rouge simarre que le vent écartait en deux ailes sur la vivante nudité apparue me faisaient un pauvre roi fou dans la nuit insupportable où elle me guettait. Un chien errant m'a regardé avec les yeux de ma mère, et je suis rentré. Les morts aimés sont effrayants à minuit et ils revivent de vous effrayer. De jour, je ne suis guère autre, quoique vêtu comme eux et sachant feindre. De jour, dans leurs bureaux et leurs salons, je souris et je ne sais que leur dire. Mais un sosie, un bâtard brillant et sans âme, me remplace immédiatement et se fait admirer à mon grand mépris. Et moi, tandis qu'il parle et fait le gai et le charmant, je pense à ma morte. Elle me domine, elle est ma folie, reine des méandres de mon cerveau qui tous conduisent à elle trônant, en un étrange cercueil vertical, au centre de mon cerveau. Parfois, pendant trois secondes, je me dis qu'elle n'est pas morte. Et puis, de nouveau, je sais qu'elle est morte. Morte, me redis-je dans les salons où elle m'attend, où elle est sombrement entre moi et eux

qui, de leurs minces lèvres, m'ont dit leurs condoléances, avec ces mêmes yeux faussement
chagrinés que j'ai lorsque, moi aussi, je dis des
condoléances.

XIX

Dans les rues, je suis l'obsédé de ma morte, mornement regardant tous ces agités qui ne savent pas qu'ils mourront et que le bois de leur cercueil existe déjà dans une scierie ou dans une forêt, vaguement regardant ces jeunes et fardés futurs cadavres femelles qui rient avec leurs dents, annonce et commencement de leur squelette, qui montrent leurs trente-deux petits bouts de squelette et qui s'esclaffent comme s'ils ne devaient jamais mourir. Dans les rues, je suis triste comme une lampe à pétrole allumée en plein soleil, pâle, inutile et lugubre comme une lampe allumée en un jour éclatant d'été, lamentable dans les rues, fleuves nourriciers du solitaire allant lentement et distrait, distrait dans les rues qui fourmillent de vieilles femmes inutiles et aucune n'est elle mais toutes lui ressemblent. Je suis un transpirant cauchemar dans les rues où je pense sans cesse à ma vivante juste avant la seconde de sa mort. Et si j'allais vers ce passant pour lui dire que j'ai perdu ma mère et que nous devons échanger un baiser de prochain, un éperdu baiser de communion en un malheur qui a été ou qui sera le sien ? Non, il me signalerait à la police.

Aujourd'hui, je suis fou de mort, partout la mort, et ces roses sur ma table qui me parfument tandis que j'écris, affreusement vivant, ces roses sont des bouts de cadavres qu'on force à faire semblant de vivre trois jours de plus dans de l'eau et les gens aiment ça, cette agonie, et ils achètent ces cadavres de fleurs et les jeunes filles s'en repaissent. Hors de ma vue, roses mortes! Je viens de les jeter par la fenêtre et sur une vieille dame à cabas et rubans. Vieille, on sait ce que ça présage. N'empêche, elle est vivante, celle-là, ce matin. La vieille dame m'a regardé avec reproche. De si jolies fleurs, a-t-elle pensé, comme c'est peu convenable de les jeter par la fenêtre. Elle ne sait pas que j'ai voulu, enfant impuissant, prendre la mort à la gorge et tuer la mort.

Il me faut un petit divertissement sur-le-champ. N'importe quoi. Oui, faire de petits chants absurdes sur l'air de cette chanson française, le coq de l'église ou je ne sais quoi. M'amuser neurasthéniquement tout seul en inventant des vaches qui font des choses étranges et d'un air qui finit toujours en if. Une vache éprise Chante dans l'église D'un air lascif. Une vache andalouse Danse en bonne épouse D'un air chétif. Une vache obèse S'élance en trapèze D'un air pensif. Une vache allègre Se déguise en nègre D'un air fautif. Une vache brune Sourit à la lune D'un air passif. Une vache rouge Flirte dans un bouge D'un air plaintif. Une vache blanche Danse sur la branche D'un air significatif. Une vache rousse Pomponne sa frimousse D'un air impulsif. Une vache juive S'évente sur la rive D'un air craintif. Une vache espagnole Danse la Carmagnole D'un air nocif. Une vache altière Mastique une théière D'un petit air juif. Une vache noire Danse sur l'armoire D'un air hâtif. Une vache hâve Danse dans la cave D'un grand air vif. Une vache en dentelles Joue du violoncelle D'un air sensitif. Une vache arthritique Fait de la gymnastique D'un air rétif. Une vache naine Rit à perdre haleine D'un air poussif. Une vache écossaise Soupire sur sa chaise D'un air naïf. Une vache ascète Fait de la trottinette D'un air furtif. Une vache ardente Saute dans la soupente D'un air massif. Une vache bien pensante Suçote de la menthe D'un air actif. Voilà. La douleur, ça ne s'exprime pas toujours avec des mots nobles. Ça peut sortir par de petites plaisanteries tristes, petites vieilles grimaçant aux fenêtres mortes de mes yeux. D'ailleurs, mes vaches, ça n'a pas eu d'effet.

Et si on essayait de faux proverbes? Allons-y. Chat échaudé est à moitié pardonné. Père qui roule craint l'eau froide. Père échaudé vaut mieux que ceinture dorée. Un rat inverti en vaut deux. Bonne renommée est mère de tous les vices. Je ne suis pas plus gai. Cette obsession du regard de ma mère dans les yeux attentifs de ma chatte. Et si on essayait de Dieu? Dieu, ça me rappelle quelque chose. J'ai eu quelques déconvenues de ce côté-là. Enfin, quand Il sera libre, Il n'aura qu'à me faire signe.

Les poètes qui ont chanté la noble et enrichissante douleur ne l'ont jamais connue, âmes tièdes et petits cœurs, ne l'ont jamais connue, malgré qu'ils aillent à la ligne et qu'ils créent génialement des blancs saupoudrés de mots, petits feignants, impuissants qui font de nécessité vertu. Ils ont des sentiments courts et c'est pour ça qu'ils vont à la ligne. Faiseurs de chichis, prétentieux nains juchés sur de hauts talons et agitant le hochet de leurs rimes, si embêtants, faisant un sort à chaque mot excrété, si fiers d'avoir des tourments d'adjectifs, tout ravis dès qu'ils ont écrit quatorze lignes, vomissant devant leur table quelques mots où ils voient mille merveilles et qu'ils suçotent et vous forcent à suçoter avec eux, avisant les populations de leurs rares mots sortis, rembourrant de culot leurs maigres épaules, rusés managers de leur génie constipé, tout persuadés de l'importance de leur pouahsie. La douleur qui rabâche et qui transpire, la bouche entrouverte, ils n'en chanteraient pas la beauté s'ils l'avaient connue, et ils ne nous diraient pas que rien ne nous rend si grands qu'une grande douleur[34], ces petits bourgeois qui n'ont jamais rien acheté à prix de sang. Je la connais, la douleur, et je sais qu'elle n'est ni noble ni enrichissante mais qu'elle te ratatine et réduit comme tête bouillie et rapetissée de guerrier péruvien, et je sais que les poètes qui souffrent tout en cherchant des rimes et qui chantent l'honneur de souffrir, distingués nabots sur leurs échasses, n'ont jamais connu la douleur qui fait de toi un homme qui fut.

XX

Allons, allons, je ne suis qu'un vivant, moi aussi, pécheur comme tous les vivants. Ma bien-aimée est dans de la terre, elle se décompose toute seule dans le silence des morts, dans l'effrayante solitude des morts, et moi je suis dehors, et je continue à vivre, et ma main bouge égoïstement en ce moment. Et si ma main dessine des mots qui disent ma douleur, c'est un mouvement de vie, c'est-à-dire de joie, en fin de compte, qui la fait bouger, cette main. Et ces feuilles, demain je les relirai, et j'ajouterai d'autres mots, et j'en aurai une sorte de plaisir. Péché de vie. Je corrigerai les épreuves, et ce sera un autre péché de vie.

Ma mère est morte, mais je regarde la beauté des femmes. Ma mère est abandonnée dans de la terre où des choses horribles se passent, mais j'aime le soleil et les cancans des petits oiseaux. Péché de vie. Lorsque, racontant le départ d'une mère, j'ai dit le remords d'un fils d'être allé vers une Diane le soir même de ce départ, j'ai décrit cette Diane avec trop de complaisance. Péché de vie. Ma mère est morte, mais quoi, il suffit qu'en cette radio qui toujours moud près de moi tandis que j'écris, il suffit que le Danube Bleu[35] se mette à couler et je ne résiste pas à son charme de piteux aloi et immédiatement j'aime, malgré mon mal filial, des Viennoises élancées et doucement tournoyantes.

Péché de vie partout. Si la sœur de l'épouse tuberculeuse est saine et jeune, que Dieu ait pitié du beau-frère et de la belle-sœur qui ensemble soignent la malade sincèrement chérie. Ils sont vivants et sains, et lorsque la tuberculeuse dort, sous la morphine et avec un râle souriant, ils vont se promener ensemble dans le jardin nocturne. Ils sont tristes mais ils savourent la douceur du jardin odorant, la douceur d'être ensemble, et c'est presque un adultère. Cette veuve, sincère en sa douleur, a mis cependant des bas de soie pour aller à l'enterrement et elle s'est poudrée. Péché de vie. Demain, elle revêtira une robe qu'elle n'aura pas exigée disgracieuse et qui rehaussera sa beauté. Péché de vie. Et cet amant désespéré qui sanglote devant la tombe, sous sa douleur il y a peut-être une affreuse involontaire joie, une pécheresse joie à vivre encore, lui, une inconsciente joie, une organique joie dont il n'est pas le maître, une involontaire joie de contraste entre cette morte et ce vivant qui dit sa douleur pourtant vraie. Avoir de la douleur, c'est vivre, c'est en être, c'est y être encore.

Ma mère est morte mais j'ai faim et tout à l'heure, malgré ma douleur, je mangerai. Péché de vie. Manger, c'est penser à soi, c'est aimer vivre. Mes yeux cernés portent le deuil de ma mère, mais je veux vivre. Dieu merci, les pécheurs vivants deviennent vite des morts offensés.

Et d'ailleurs, nous les oublions vite, nos morts. Pauvres morts, que vous êtes délaissés en votre terre, et que j'ai pitié de vous, poignants en votre éternel abandon. Morts, mes aimés, que vous êtes seuls. Dans cinq ans, ou moins, j'accepterai davantage cette idée qu'une mère, c'est quelque chose de terminé. Dans cinq ans, j'aurai oublié des gestes d'elle. Si je vivais mille ans, peut-être qu'en ma millième année, je ne me souviendrais plus d'elle.

XXI

Quelle est cette farce? Ma mère est née, elle est venue, elle s'est réjouie de son fils, elle s'est réjouie de ses robes, elle a ri, elle a tant espéré, elle s'est donné tant de peine, elle a recouvert de beau papier rose glacé mes livres d'écolier avec tant de soin et les petites aspirations de salive des attentifs, elle a eu si peur des maladies, elle a eu tant d'absurde foi en ses médecins, elle a préparé tant de mois à l'avance ses chers séjours à Genève qui étaient sa chimère, elle s'est tant réjouie de mes compliments, si heureuse lorsque je lui disais qu'elle avait certainement perdu quelques kilos, ce qui n'était jamais vrai, si heureuse lorsque je faisais semblant d'aimer ses pauvres petits chapeaux dignes et maladroits, si économiquement combinés et rafistolés. Et tout cela, tout cela, pourquoi? Pour rien. Pour finir dans un trou.

Elle a été jeune, ma vieille Maman. Je me rappelle qu'un jour du temps où j'avais six ans, elle

119

était venue me chercher à l'école des sœurs catholiques. Comme je l'avais trouvée belle, ma jeune Maman. Je l'avais fièrement considérée sous son chapeau sur lequel expirait une perruche empaillée, chapeau aussi ridicule que mon Jean-Bart[36] en cuir bouilli, qui était unique en son espèce, fruit des méditations d'un chapelier sitôt puni et foudroyé d'une juste faillite. Je l'avais regardée avec ferveur, ma svelte Maman de vingt-cinq ans et je lui avais dit qu'elle était la plus belle Maman du monde. Et elle avait ri de bonheur. Diable ou Dieu, pourquoi as-tu mis en cette future morte ce rire, cet absurde besoin de joie que seuls les immortels devraient avoir ? Nous sommes trop roulés d'avance sur cette terre.

Pourquoi, Mon Dieu, pourquoi a-t-elle ri d'être jeune et belle puisque maintenant elle est sous terre ? Comme on respire mal dans un cercueil et les pauvres morts y étouffent. Pourquoi a-t-elle ri de sa jeunesse en sa jeunesse, a-t-elle ri de voir son enfant l'admirer, pourquoi, si l'autre rire devait lui venir un jour, le rire immobile des morts devenus squelettes ? Pourquoi fut-elle un petit bébé gentiment édenté, mon chéri, qu'on baignait au soleil dans une seille et qui faisait de joyeux éclaboussements et tricotait dans l'eau de ses enthousiastes petites jambes, effréné et mignon bicycliste dans l'eau, nigaudement ravi de vivre et gigoter et maintenant plus rien. Pourquoi a-t-elle vécu, si elle devait horriblement mourir ?

Pourquoi s'est-elle réjouie, pourquoi a-t-elle fredonné, avec une animation qui me gênait, d'antiques airs d'opéra, pourquoi a-t-elle attendu et tant espéré ? Pourquoi, avant mes venues à Marseille, pourquoi se donnait-elle tant d'enthousiaste et inutile peine pour préparer et combiner un mois à l'avance l'appartement qu'elle voulait digne de moi, ce pauvre appartement qu'elle faisait entièrement repeindre et retapisser en mon honneur et qu'en mon honneur elle bourrait de fleurs artificielles et même, la veille de mon arrivée, de coûteuses fleurs naturelles, étranglées par un vase étroit, ahuri de se trouver à telle inhabituelle fête ? Combien elle ne savait pas disposer les fleurs, ma pauvre chérie. Pourquoi tant de peine et d'enthousiasme à machiner son pauvre appartement comme un décor de théâtre pour le grand événement de l'arrivée des yeux du fils, son humble appartement de mauvais goût qui était sa foi, son pauvre bougre d'appartement convenable, tout festonné et enguirlandé en mon honneur, sa lamentable patrie que ma naïve croyait somptueuse et devoir trouver grâce à mes yeux et faire honneur à l'impeccable maîtresse de maison qu'elle était persuadée d'être ? Je ne l'ai pas assez complimentée sur son bon goût et même parfois je me suis un peu moqué. Trop tard. Tant pis. Il est vrai qu'elle aimait tout de moi et même mes ironies.

Pourquoi toutes ces agitations puisque la terre

est maintenant lourde sur elle imperturbable ?
Pourquoi tant de ferveur dépensée, la veille de
mon arrivée, pour orner le révéré et humble cabinet de toilette d'inopportuns et théâtraux rideaux,
pauvre cabinet de toilette que, de toute son âme
ardente, elle transformait en Palais de la Gui-
pure ? Pourquoi tant d'enthousiasme s'il était destiné à finir dans du néant ? Pourquoi tant d'importances accordées par elle et à quoi bon ? Pourquoi
a-t-elle acheté avec tant de passion, en vue de la
venue de son occidental chéri, de si grandes quan-
tités de ce thé qui était pour elle une étrange
herbe médicinale inconcevablement aimée des
Gentils, ce thé dont elle était fière de pouvoir pro-
clamer, soudain pleine de courage dans la drogue-
rie de quartier où il moisissait depuis Napoléon III, qu'il était, ce thé, pour Son Fils Qui Allait
Arriver, ce cacochyme thé toujours éventé, qu'elle
préparait si mal et avec tant de soin, et que je
déclarais parfait, quitte à la taquiner le lendemain
sur son incompétence. Taquineries abolies. Pourquoi a-t-elle tant chéri ses piles de linge qu'elle
allait inspecter et inutilement tapoter pour s'en
délecter et enorgueillir avec une respiration satisfaite ? Pourquoi cet enthousiasme d'aller
ensemble au théâtre, « vite, dépêchons-nous, nous
allons être en retard », pourquoi tant d'émois
pour tout, pourquoi m'a-t-elle tant souri si elle
devait tant disparaître ?

Tous ses grands désirs de plaire, ses innocentes

coquetteries, ses enthousiasmes, ses petites fiertés, ses joies, ses susceptibilités, tout est mort pour toujours, n'a soudain pas existé, a été vain. De même que les pages que j'écris en ce moment, les nuits que je passe à les écrire, tout cela est si vain, si pour rien. Je mourrai. Plus de je bientôt. Et quelqu'un peut-être, après ma mort, se demandera aussi pourquoi je suis venu, pourquoi j'ai vécu et si absurdement joui d'écrire et pourquoi je me suis ridiculement tant réjoui de ce qui me paraissait vérité écrite, réussite, trouvaille. Et même d'écrire ce que je viens d'écrire sur ma mort et sur l'inutilité d'écrire me donne une joie de vie et d'utilité.

XXII

Dans ma chambre, me voici, un de l'humaine nation, scandalisé par l'universelle mort, stérilement interrogeant. Me voici, sans cesse demandant ma mère, la demandant à Rien. Me voici, l'homme nu, abandonné, stupéfait, un homme pâle qui veut comprendre, me voici, transpirant et respirant avec peine car je n'y comprends rien à mon humaine aventure, ayant mal dans cette respiration difficile mais qui veut tristement continuer et qui, entre l'inspiration et l'expiration, contient toujours ma mère venant lourdement vers moi. Chaque respiration de moi est une mort qui veut vivre, un désespoir qui fait semblant d'espérer. Me voici, devant la glace, follement dans mon malheur aspirant à quelque bonheur, tristement me grattant de douleur quoique pétrifié, machinalement traînant mes ongles sur ma poitrine nue, souriant et faible devant ma glace où je cherche mon enfance et ma mère, ma glace qui me tient froidement compagnie, et dans laquelle je sais, souriant, que je suis perdu, perdu sans ma mère. Je suis là, devant la glace, fenêtre sur la mort, faisant des nœuds à cette ficelle saisie au hasard et qui me tient compagnie, la tirant, la renouant, la compliquant machinalement, la rompant nerveusement, tout en sueur et bégayant des mots gais pour essayer de vivre. O fil rompu de mon destin. Devant cette glace que j'interroge, je ne peux pas comprendre que ma mère ne soit plus, puisqu'elle a été.

Elle est venue, elle n'y a rien compris, elle est partie. Après avoir été elle-même irremplaçablement, elle a disparu, pourquoi, mais pourquoi ? Pauvres humains que nous sommes, qui allons du toujours qui nous a déposés dans notre berceau au toujours qui viendra après notre tombe. Et entre ces deux toujours, quelle est cette farce que nous jouons, cette courte farce d'ambitions, d'espoirs, d'amours, de joies destinées à disparaître pour toujours, cette farce que Tu nous fais jouer ? Dis, Toi, là-haut, pourquoi ce traquenard ? Pourquoi a-t-elle ri, pourquoi lui as-Tu donné le désir de rire et de vivre si Tu l'avais, dès son berceau, condamnée à mort, ô Juge à la monotone sentence, Juge sans imagination et qui ne connais qu'une seule sentence, toujours capitale, pourquoi et quelle est cette tromperie ? Elle aimait respirer l'air de la mer en ces dimanches de mon enfance. Pourquoi est-elle maintenant sous une planche suffocante, cette planche si proche de son beau visage ? Elle aimait respirer, elle aimait la vie. Je crie à l'abus de confiance, à la sinistre plaisanterie. O Dieu, du droit de mon agonie qui est proche, je Te dis qu'elle n'est pas drôle, Ta plaisanterie de nous donner cet effrayant et bel amour de la vie pour nous allonger ensuite, les uns après les autres, les uns auprès des autres, et faire de nous des immobiles que de futurs immobiles enfouissent sous terre comme de puantes saletés, des balayures trop répugnantes à regarder, de cireuses immondices, nous qui fûmes des bébés ravis en nos fossettes. Pourquoi toute cette terre sur ma mère, ce petit espace de la caisse autour d'elle qui aimait tant respirer l'air de la mer ?

XXIII

Je ne veux pas qu'elle soit morte. Je veux un espoir, je demande un espoir. Qui me donnera la croyance en une merveilleuse vie où je retrouverai ma mère ? Frères, ô mes frères humains, forcez-moi à croire en une vie éternelle, mais apportez-moi de bonnes raisons et non de ces petites blagues qui me donnent la nausée tandis que, honteux de vos yeux convaincus, je réponds oui, oui, d'un air aimable. Ce ciel où je veux revoir ma mère, je veux qu'il soit vrai et non une invention de mon malheur.

C'est vers Toi que j'appelle, Dieu de ma mère, mon Dieu que j'aime malgré mes blasphèmes de désespoir. Je T'appelle au secours. Aie pitié de ce mendiant abandonné au coin du monde. Je n'ai plus de mère, je n'ai plus de Maman, je suis tout seul et sans rien et j'appelle vers Toi qu'elle a tant prié. Donne-moi la foi en Toi, donne-moi la croyance en une vie éternelle. Cette croyance, je l'achèterais au prix d'un milliard d'années en enfer. Car après ce milliard d'années en cet enfer où l'on Te nie, je pourrai revoir ma mère qui m'accueillera, sa petite main timidement à la commissure de sa lèvre.

XXIV

Vous, toutes ses pensées, ses belles espérances, ses joies, êtes-vous disparues aussi et est-ce possible? Les morts vivent, m'écrié-je parfois, soudain réveillé dans la nuit et tout transpirant de certitude. Les pensées de ma mère, balbutié-je, se sont enfuies au pays où il n'y a pas de temps et elles m'attendent. Oui, il y a Dieu, et Dieu ne me fera pas ça. Il ne m'enlèvera pas ma mère. Il me la rendra toute vivante au pays où il n'y a pas de temps, au pays où elle m'attend. Faibles folies d'enfant. Il n'y a pas de paradis. Ils ne sont qu'en tes fidèles yeux, les gestes de ta mère, ses rires, toutes ses vies de toutes ses heures. Et quand tu mourras, il en restera trois bribes sur ces pages, et ces pages elles-mêmes seront emportées par quelque vent séculaire et elle n'aura jamais été.

Combien enviable le sort de ceux qui croient ce qu'il leur est bon de croire et non la désertique vérité qui n'est ni joyeuse ni belle et qui n'a pour elle que d'être piteusement vraie dans le foisonnement magnifique et stupide des infinies formes de vie, hasardeuses et sans raisons, sous l'œil morne du néant. Toi que j'appelais Maman, tu es entrée dans la vallée d'hébétude et tu ne m'y attends pas. Tu es seule et je suis seul. Nous sommes bien seuls, tous les deux. Tu es morte et pour toujours, je le sais. Et pourtant je sais que lorsque j'aurai mal dans mon corps, par la bonté de Dieu promis à la maladie et à l'humiliation de vieillesse, ou mal dans mon âme, lorsqu'ils feront du mal à ton enfant et que je ne pourrai plus feindre d'être d'acier, c'est ton nom seul, Maman, que j'invoquerai, non pas celui de vivants aimés ni celui de Dieu, ton nom sacré seul, Maman, quand mon corps sera las de vivre ou quand ils seront trop mauvais avec l'enfant que tu sus défendre. Vivrais-tu en quelque merveilleuse part ?

XXV

Non, elle est silencieuse sous la terre, enfermée dans la geôle terreuse avec interdiction d'en sortir, prisonnière dans la solitude de terre, avec de la terre silencieuse et suffocante et si lourde au-dessus d'elle inexorablement, à sa droite férocement, à sa gauche stupidement, et infiniment au-dessous d'elle abandonnée à qui rien ni même sa sombre épaisse terre ne s'intéresse, tandis que des vivants marchent au-dessus d'elle. Elle est, sous terre, une inaction, une langueur, une prostration. Dieu, que tout cela est absurde.

Allongée et grandement solitaire, toute morte, l'active d'autrefois, celle qui soigna tant son mari et son fils, la sainte Maman qui infatigablement proposait des ventouses et des compresses et d'inutiles et rassurantes tisanes, allongée, ankylosée, celle qui porta tant de plateaux à ses deux malades, allongée et aveugle, l'ancienne naïve aux yeux vifs qui croyait aux annonces des spécialités

131

pharmaceutiques, allongée, désœuvrée, celle qui infatigablement réconfortait. Je me rappelle soudain des mots d'elle lorsqu'un jour quelqu'un m'avait fait injustement souffrir. Au lieu de me consoler par des mots abstraits et prétendument sages, elle s'était bornée à me dire : « Mets ton chapeau de côté, mon fils, et sors et va te divertir, car tu es jeune, va, ennemi de toi-même. » Ainsi parlait ma sage Maman.

Allongée dans le grand dortoir, indifférente, piteusement seule, celle qui s'était réjouie de cette bonne place dans le train et de cette chance, tant réjouie de toute sa large face. Allongée et insensible, celle qui s'était enfantinement réjouie de la belle robe que je lui avais offerte. Où est-elle, cette maudite robe qui vit encore, elle, quelque part et avec l'odeur de ma mère ? Allongée, apathique, l'enthousiaste qui adorait faire des projets détaillés et de nigauds plans de bonheur, allongée, celle qui se forgeait poétiquement mille félicités du gros lot quand elle le gagnerait, et elle combinait déjà de faire bisquer certains méchants en étalant ses opulences, mais ensuite, disait-elle, elle leur pardonnerait et même elle leur ferait un beau cadeau. Allongée en son bougon sommeil de terre, en sa minérale indifférence, elle ne pense pas à des gros lots, ne se réjouit plus, ne se soucie plus. Elle ne se soucie même plus de moi. Elle m'aimait pourtant.

Vous, ses abaissées paupières, êtes-vous encore intactes? Et toi, mère si blanche et jaune que j'ose, en un battement de paupières, regarder dans ta caisse déjà pourrie, mon amaigrie abandonnée, toi qui remuais et toujours vers moi venais, toi si morose maintenant et laconique en ta terreuse mélancolie, couchée en ce silence noir de la tombe, en ce lourd humide silence de terre de la tombe, dis, toi qui m'aimais, penses-tu quelquefois à ton fils en ta tombe où ne vivent que des racines, des radicelles sans joie et de mornes créatures d'obscurité aux incompréhensibles démarches et toujours silencieuses quoique effrayamment affairées? Peut-être en sa veule asphyxie rêve-t-elle impassiblement encore de moi, comme en sa vie où elle avait dans ses rêves toujours peur pour moi. Sous sa planche étouffante, elle se demande peut-être si je n'oublie pas de boire quelque chose de chaud, le matin, avant de partir pour le travail. « Il ne se couvre pas assez », murmure peut-être la morte. « Il est si délicat, il se fait des soucis pour tout, et je ne suis pas là », murmure un peu la morte.

Pas vrai, elle ne rêve pas de moi, ne pense jamais. Elle est morne en son terreau et dessus il y a la vie et l'ivresse légère du matin et le gros soleil apparu. Elle est paralytique et desséchée en son gras terreau, parcheminée et çà et là verdissante, ancienne jolie Maman de mes dix ans, squelette à demi, insensible malgré mes lentes larmes, sourde, impassible tandis qu'au-dessus d'elle de petits morceaux de création se réveillent, s'affairent pour joyeusement vivre et se reproduire et assassiner sous l'œil bienveillant de Dieu. Sur un arbre, au-dessus de sa tombe matinale, un écureuil se frotte les pattes de devant, bonne affaire, il y a beaucoup de noix cette année. Sur sa tombe matinale, le ciel est d'un géant bleu puissant, et les petits oiseaux lancent leurs joyeux chichis et leurs innocences dans l'aube fleurie, leurs angéliques commérages du réveil et des prestes envols, leurs poèmes de quatre sous, leurs doux glaçons pointus d'appel et toutes leurs disponibilités liquides et, à l'exception du coucou idiotement obsédé de jouer à cache-cache, tous ces oiselets lancent leurs mille bonjours à papa soleil, et que c'est chic de vivre à l'air frais, crient ces petits chéris, fiérots troubadours huppés et complètement saouls de clarté, qui maintenant viennent, en diverses affables polkas, picorer sur l'herbe de sa tombe.

XXVI

En somme, on s'installe dans le malheur et quelquefois on se dit qu'on n'y est pas si mal que ça, après tout. Fumons donc une cigarette, tandis que l'idiot de la radio parle d'une importante déclaration d'un important chef d'État. L'idiot savoure cette déclaration, s'en délecte et la suce. Ce que ça peut m'être égal, leurs importantes déclarations. Ces futurs morts si dynamiques, c'est comique.

Quand ma chatte, cette faible d'esprit, me regarde avidement, avec un fixe étonnement, cherchant à comprendre, si intéressée, oui, c'est ma mère qui me regarde. Deviendrais-je étrange par cette mort que j'admets sans cesse, les yeux au ciel de nuit où une pâle ronde morte luit, bénigne et maternelle? Depuis sa mort, j'aime vivre seul, parfois, pendant des jours et des jours, loin des vivants absurdement occupés, seul comme elle était seule dans son appartement de Marseille, seul et le téléphone décroché pour que le dehors n'entre pas chez moi comme il n'entrait pas chez elle, seul dans cette demeure qui a la perfection de la mort et où je fais sans cesse de l'ordre pour croire que tout va bien, seul dans ma chambre délicieusement fermée à clef, trop rangée et trop propre, folle de symétrie, crayons allongés par ordre de grandeur sur le petit cimetière luisant de la table.

Assis devant cette table, je fais la conversation avec elle. Je lui demande si je dois mettre mon pardessus pour sortir. « Oui, mon chéri, c'est plus sûr. » Mais ce n'est que moi qui radote, imitant son accent. J'aimerais l'avoir près de moi, assise et embaumée, dans sa robe de soie noire. Si je lui parlais longtemps, avec patience, la regardant beaucoup, peut-être que soudain ses yeux reviraient un peu, par pitié, par amour maternel. Je sais bien que ce n'est pas vrai et pourtant cette idée me hante.

XXVII

Voilà, j'ai fini ce livre et c'est dommage. Pendant que je l'écrivais, j'étais avec elle. Mais Sa Majesté ma mère morte ne lira pas ces lignes écrites pour elle et qu'une main filiale a tracées avec une maladive lenteur. Je ne sais plus que faire maintenant. Lire ce poète moderne qui se gratte les méninges pour être incompréhensible? Retourner au-dehors, revoir ces singes habillés en hommes, tous fabriqués par le social, qui jouent au bridge et ne m'aiment pas et parlent de leurs micmacs politiques dans dix ans périmés?

Parfois, la nuit, après avoir une fois de plus vérifié la chère fermeture de la porte, je m'assieds, les mains à plat sur les genoux et, la lampe éteinte, je regarde dans la glace. Entouré de certains minotaures de mélancolie, j'attends devant la glace, tandis que filent sur le plancher, comme des rats, des ombres qui furent les méchants de ma vie parmi les hommes, tandis que luisent aussi des regards subits, nobles regards qui furent ceux de l'autre aimée, Yvonne[37], j'attends devant la glace, assis et les mains pharaoniques à plat, j'attends que ma mère, sous la lune qui est son message, apparaisse peut-être. Mais seuls les souvenirs arrivent. Les souvenirs, cette terrible vie qui n'est pas de la vie et qui fait mal.

Tandis qu'un chien hurle dans la nuit, un pauvre chien, mon frère, qui se lamente et dit mon mal, je me souviens insatiablement. C'est moi, bébé, et elle me poudre avec du talc, puis elle me fourre, pour rire, dans une hutte faite de trois oreillers et la jeune mère et son bébé rient beaucoup. Elle est morte. Maintenant, c'est moi à dix ans, je suis malade, et elle me veille toute la nuit, à la lumière de la veilleuse surmontée d'une petite théière où l'infusion reste au chaud, lumière de la veilleuse, lumière de Maman qui somnole auprès de moi, les pieds sur la chaufferette, et moi je gémis pour qu'elle m'embrasse. Maintenant, c'est quelques jours plus tard, je suis convalescent et elle m'a apporté un fouet de réglisse que je lui ai demandé d'aller m'acheter et comme elle a vite couru, docile, toujours prête. Elle est auprès de mon lit, et elle coud tout en respirant sagement, sentencieusement. Moi, je suis parfaitement heureux. Je fais claquer le fouet de réglisse et puis je mange à minuscules coups de dent un Petit-Beurre en commençant par les dentelures qui sont plus brunes et c'est meilleur, et puis je joue avec son alliance qu'elle m'a prêtée et que je fais tourner sur une assiette. Bons sourires de Maman rassurante, indulgences de Maman. Elle est morte. Maintenant, je suis guéri et elle me fait, avec des restants de pâte à gâteau, des petits bonshommes qu'elle fera frire pour moi. Elle est morte. Maintenant, c'est la foire. Elle me donne deux sous, je les mets dans le ventre de l'ours en carton et, chic, un chou à la crème sort du ventre ! « Maman, regarde-moi le manger, c'est meilleur quand tu me regardes. » Elle est morte. Maintenant, j'ai vingt ans, et c'est le square de l'Université où elle m'attend, sainte patience. Elle m'aperçoit et son visage s'éclaire de timide bonheur. Elle est morte. Maintenant, c'est son accueil, le soir du sabbat. Sans que nous ayons eu à frapper, la porte s'est ouverte magiquement, offrande d'amour. Elle est morte. Maintenant, c'est sa fierté d'avoir retrouvé mon stylo. « Tu vois, mon enfant, je retrouve toujours tout, moi. » Elle est morte. Maintenant, je lui demande de mettre de l'ordre dans ma chambre. Elle obéit de bon cœur, mais elle se moque un peu de moi. « Il faudrait des régiments pour te servir, mon fils, et tu les fatiguerais. » Quel bon sourire. Elle est morte. Maintenant, c'est son ravissement d'installer sa lourdeur dans le taxi. La marche la fatigue si vite, ma malade. Quelle soudaine fierté tandis que j'écris, à la pensée que je suis souvent malade, moi aussi. Je te ressemble tellement, je suis tellement ton fils. Maintenant, c'est la portière du wagon à la gare de Genève, et le train va partir. Décoiffée, le chapeau piteusement de côté, la bouche stupéfaite de malheur, les yeux brillants de malheur, elle me regarde tellement, pour prendre le plus possible de moi avant que le train ne s'ébranle. Elle me bénit, elle me recommande de ne pas fumer plus de vingt cigarettes par jour, de bien me couvrir en hiver. Dans ses yeux, il y a une folie de tendresse, une divine folie. C'est la maternité. C'est la majesté de l'amour, la loi sublime, un regard de Dieu. Soudain, elle m'apparaît comme la preuve de Dieu.

Musique du désespoir le plus subtil, égaré et souriant, qui s'insinue et ronge avec les images d'un passé et trépassé bonheur. Jamais plus. Jamais plus je ne serai un fils. Jamais plus nos interminables bavardages. Et je ne pourrai jamais lui raconter les récits qu'à Londres je tenais prêts pour elle et qu'elle seule aurait trouvés intéressants. Je me surprends parfois à me dire encore : « Ne pas oublier de raconter ça à Maman. » Et les cadeaux que j'avais achetés pour elle, à Londres, ces jolis cols de dentelle, elle ne les verra jamais. Il faudra les jeter aux balayures, ces cols. Jamais plus je ne la verrai descendre du train, épanouie, confuse. Jamais plus ses valises démantibulées, pleines de cadeaux qui la ruinaient. C'était sa grande aventure, ces expéditions vers son fils, longuement préparées et économisées. Son souci de faire bonne impression à la gare et ses vertueuses élégances, le premier soir de l'arrivée. Oui, je sais que je l'ai déjà dit. Mais on ne m'empêchera pas de déballer mon pauvre trésor. Une fois de plus, je suis allé ouvrir la porte de ma chambre. Je sais bien pourtant qu'elle n'est jamais derrière la porte.

Les heures ont passé et c'est le matin, un autre matin sans elle. On a sonné à la porte. Je me suis levé en hâte et j'ai regardé par le judas. Mais ce n'était qu'une affreuse vieille de bienfaisance, avec son calepin à la main. Je ne lui ai pas ouvert, pour la punir. Je suis revenu à ma table et j'ai repris mon stylo. Il a coulé et j'ai des taches bleues sur la main. Elle pleurait, elle me demandait pardon. « Je ne le ferai plus », sanglotait-elle. Ses petites mains tachées de bleu. Une femme âgée et si bonne, qui pleure comme une petite fille, toute secouée de sanglots, c'est affreux. J'imagine, pendant quelques secondes, que je n'ai pas fait cette scène, que juste avant de commencer mes reproches j'ai eu pitié de ses yeux effrayés, et qu'il n'y a pas eu les taches bleues. Hélas. Et pourtant je l'aimais. Mais j'étais un fils. Les fils ne savent pas que leurs mères sont mortelles.

XXVIII

Fils des mères encore vivantes, n'oubliez plus que vos mères sont mortelles. Je n'aurai pas écrit en vain, si l'un de vous, après avoir lu mon chant de mort, est plus doux avec sa mère, un soir, à cause de moi et de ma mère. Soyez doux chaque jour avec votre mère. Aimez-la mieux que je n'ai su aimer ma mère. Que chaque jour vous lui apportiez une joie, c'est ce que je vous dis du droit de mon regret, gravement du haut de mon deuil. Ces paroles que je vous adresse, fils des mères encore vivantes, sont les seules condoléances qu'à moi-même je puisse m'offrir. Pendant qu'il est temps, fils, pendant qu'elle est encore là. Hâtez-vous, car bientôt l'immobilité sera sur sa face imperceptiblement souriante virginalement. Mais je vous connais, et rien ne vous ôtera à votre folle indifférence aussi longtemps que vos mères seront vivantes. Aucun fils ne sait vraiment que sa mère mourra et tous les fils se fâchent et s'impatientent contre leurs mères, les fous si tôt punis.

XXIX

Louange à vous, mères de tous les pays, louange à vous en votre sœur ma mère, en la majesté de ma mère morte. Mères de toute la terre, Nos Dames les mères, je vous salue, vieilles chéries, vous qui nous avez appris à faire les nœuds des lacets de nos souliers, qui nous avez appris à nous moucher, oui, qui nous avez montré qu'il faut souffler dans le mouchoir et y faire feu-feu, comme vous nous disiez, vous, mères de tous les pays, vous qui patiemment enfourniez, cuillère après cuillère, la semoule que nous, bébés, faisions tant de chichis pour accepter, vous qui, pour nous encourager à avaler des pruneaux cuits, nous expliquiez que les pruneaux sont de petits nègres qui veulent rentrer dans leur maison et alors le petit crétin, ravi et soudain poète, ouvrait la porte de la maison, vous qui nous avez appris à nous gargariser et qui faisiez reureu pour nous encourager et nous montrer, vous qui étiez sans cesse à arranger nos mèches bouclées et nos cravates pour que nous fussions jolis avant l'arri-vée des visites ou avant notre départ pour l'école, vous qui sans cesse harnachiez et pomponniez vos vilains nigauds petits poneys de fils dont vous étiez les bouleversantes propriétaires, vous qui nettoyiez tout de nous et nos sales genoux terreux ou écorchés et nos sales petits nez de marmots morveux, vous qui n'aviez aucun dégoût de nous, vous, toujours si faibles avec nous, indulgentes qui plus tard vous laissiez si facilement embobiner et refaire par vos fils adolescents et leur donniez toutes vos économies, je vous salue, majestés de nos mères. Je vous salue, mères pleines de grâce[38], saintes sentinelles, courage et bonté, chaleur et regard d'amour, vous aux yeux qui devinent, vous qui savez tout de suite si les méchants nous ont fait de la peine, vous, seuls humains en qui nous puissions avoir confiance et qui jamais, jamais ne nous trahirez, je vous salue, mères qui pensez à nous sans cesse et jusque dans vos sommeils, mères qui pardonnez toujours et caressez nos fronts de vos mains flétries, mères qui nous attendez, mères qui êtes toujours à la fenêtre pour nous regarder partir, mères qui nous trouvez incomparables et uniques, mères qui ne vous lassez jamais de nous servir et de nous couvrir et de nous border au lit même si nous avons quarante ans, qui ne nous aimez pas moins si nous sommes laids, ratés, avilis, faibles ou lâches, mères qui parfois me faites croire en Dieu.

XXX

Mais rien ne me rendra ma mère, ne me rendra celle qui répondait au nom de Maman, qui répondait toujours et accourait si vite au doux nom de Maman. Ma mère est morte, morte, morte, ma mère morte est morte, morte. Ainsi scande ma douleur, ainsi monotonement scande le train de ma douleur, ainsi scandent et tressautent les essieux du train de ma douleur, du train interminable de ma douleur de toutes les nuits et de tous les jours, tandis que je souris à ceux du dehors avec une seule idée dans ma tête et une mort dans mon cœur. Ainsi scandent les essieux du long train, toujours scandant, ce train, ma douleur, toujours emportant, ce train de funérailles, ma morte décoiffée à la portière, et moi je vais derrière le train qui va, et je m'essouffle, tout pâle et transpirant et obséquieux, derrière le train qui va, emportant ma mère morte et bénissante.

XXXI

Des années se sont écoulées depuis que j'ai écrit ce chant de mort. J'ai continué à vivre, à aimer. J'ai vécu, j'ai aimé, j'ai eu des heures de bonheur tandis qu'elle gisait, abandonnée, en son terrible lieu. J'ai commis le péché de vie, moi aussi, comme les autres. J'ai ri et je rirai encore. Dieu merci, les pécheurs vivants deviennent vite des morts offensés.

NOTES

Les notes suivantes éclairent les difficultés qu'un bon dictionnaire usuel ne permet pas toujours de résoudre.

1 *(p. 9). Ne la réveillez pas, filles de Jérusalem* : référence à la Bible, Cantique des cantiques (« filles de Jérusalem [...] n'éveillez pas, ne réveillez pas la bien-aimée »).

2 *(p. 11). Sabbat* : dans la Bible, livre de la Genèse, il est dit que Dieu, après avoir créé le monde en six jours, se reposa et bénit sa création le septième jour. Le sabbat est marqué par ce double thème : repos et sanctification. Il commence le vendredi au crépuscule, mais on s'y prépare dès l'après-midi. Le sabbat se termine le samedi à la tombée de la nuit. La synagogue et le foyer familial sont les deux lieux de la célébration.

3 *(p. 12). Myrte* : arbuste odoriférant, vert toute l'année. Dans la mystique juive, il symbolise l'obéissance et le souvenir. Son parfum est propice à l'élévation spirituelle. Il entre, en particulier, dans la composition du bouquet traditionnel de la fête des Tabernacles.

4 *(p. 13). Trois bougies* : ces bougies allumées par la mère de famille font partie du rite du sabbat. Leur nombre varie suivant des traditions différentes. Par exemple, leur nombre peut être déterminé par celui des membres de la famille. C'est cette tradition que suit la famille Coen.

5 *(p. 15). Loi de Moïse* : commandements donnés par Dieu au peuple hébreu par l'intermédiaire de Moïse, sur le Mont Sinaï (cf. p. 24). Ils sont contenus dans le Pentateuque (cinq

premiers livres de la Bible). Cette Loi est conservée à la synagogue sous forme de rouleaux de parchemin (cf. p. 95).

6 (p. 15). *Anna Karénine* : héroïne du roman de Tolstoï qui porte son nom (1877). Riche aristocrate, elle abandonne son mari et son fils pour l'amour de Wronski. Mais un bonheur fondé sur le malheur des siens est voué à l'échec et Anna se suicidera. Le personnage incarne la violence tragique de la passion amoureuse. Pour Cohen elle en représente aussi les mensonges. Dans *Les Valeureux*, Mangeclous raconte longuement avec beaucoup de pittoresque et de liberté l'histoire d'Anna.

7 (p. 16). *Abraham, Isaac, Jacob* : dans la Bible, Jacob est le fils de Rébecca et d'Isaac, celui-ci étant le fils d'Abraham et de Sara (cf. p. 22 : « Puissant de Jacob » = Dieu).

8 (p. 19). *Gentils* : forme latinisée du mot hébreu *goyim* qui, pour les Juifs, désigne les gens de religion différente, et plus spécifiquement les chrétiens.

9 (p. 19). *La Maison de l'Éternel* : la synagogue.

10 (p. 19). *Il nous a sauvés du Pharaon* : Moïse et son frère Aaron ont organisé la fuite des Hébreux hors d'Égypte, où le pharaon les retenait prisonniers.

11 (p. 21). *Filles de Baal* : dans la Bible, Baal représente les faux dieux des religions polythéistes. L'expression « filles de Baal » désigne les prostituées ou, plus largement, les femmes impudiques.

12 (p. 21). *Il n'est pas bon, tu sais, que l'homme vive seul* : idée directement inspirée de la Bible. Dieu dit : « Il n'est pas bon que l'homme soit seul ; je lui ferai une aide qui lui soit assortie » (Genèse, II). Dieu créa alors la femme pour donner une compagne à l'homme.

13 (p. 22). *Daniel* : Allusion biblique (Livre de Daniel, VI). Daniel, coupable aux yeux des Mèdes d'avoir prié Dieu, est jeté dans la fosse aux lions. Un ange ferme la gueule des fauves et, le lendemain, le roi Darius, impressionné par le pouvoir du Dieu d'Israël, fait délivrer Daniel.

14 (p. 23). *Tu es un Cohen* : le terme *kohén* est utilisé dans la Bible pour désigner les hommes qui exercent les fonctions du culte. La descendance d'Aaron, frère de Moïse et souvent son porte-parole devant les Hébreux, est chargée par Dieu de remplir les fonctions sacerdotales. « Mon grand-père me disait aussi les privilèges de ceux qui ont nom Cohen et qui sont la

caste sacerdotale et les descendants du grand-prêtre Aaron, frère de notre maître Moïse. "Notre nom signifie prêtre en hébreu, me disait-il, et ainsi tu es, toi, le prêtre Albert, par droit de naissance et selon la volonté de l'Éternel" » (*Carnets 1978*).

15 *(p. 32). La Belle Jardinière* : magasin de vêtements et d'articles de mode fondé en 1824 à Paris. Dès le milieu du XIXᵉ siècle son succès fut tel que de nombreuses succursales s'ouvrirent dans les villes de province. La Belle Jardinière a aujourd'hui disparu.

16 *(p. 34). Louis Boussenard* : auteur de romans d'aventures et de récits pour la jeunesse (1847-1910). Quelques titres : *Le tour du monde d'un gamin de Paris, Les Robinsons de la Guyane, L'île en feu.*

17 *(p. 35). Protocoles des Sages de Sion* : texte qui parut en Russie en 1903, en pleine vague d'antisémitisme. Probablement rédigé sur ordre de la police secrète du tsar, il fut plus tard traduit en français. Il s'agit d'un faux, comptant une centaine de pages, qui se présente comme l'œuvre d'un gouvernement juif secret, « Les Sages de Sion ». Les comploteurs imaginaires indiquaient par quels moyens ténébreux les Juifs parviendraient à dominer le monde. Ce faux grossier, vite dénoncé comme tel, fut pourtant utilisé en France dès 1920 par les antisémites pour tenter de justifier leurs campagnes.

18 *(p. 36). Le grand Zola* : le romancier avait joué un rôle déterminant dans l'affaire Dreyfus, en défendant courageusement la cause du capitaine injustement accusé de trahison. Son article intitulé « J'accuse » (janvier 1898) est resté l'acte le plus mémorable de sa lutte en faveur de Dreyfus. Il suscita aussi l'estime et la reconnaissance de nombreux Juifs, même hors de France. Zola mourut à son domicile parisien en 1902, asphyxié par les émanations de gaz carbonique provoquées par l'obstruction d'une cheminée.

19 *(p. 39). Boutargue* : préparation culinaire méridionale à base d'œufs de poisson salés confits dans du vinaigre.

20 *(p. 39). Lucie de Lammermoor* : opéra de Donizetti (1835). Dans *Madame Bovary*, Emma va l'écouter à l'Opéra de Rouen.

21 *(p. 39). Pas piqué des coccinelles* : variation sur l'expression familière « pas piqué des vers » ou « pas piqué des hannetons » : de première grandeur, remarquable en son genre.

22 *(p. 43)*. *Mérite domestique* : calque plaisant de « Mérite agricole », ou autre décoration du même type.

23 *(p. 46)*. *Papillon du gaz* : bec d'éclairage au gaz dont la flamme s'écartait en forme d'ailes de papillon.

24 *(p. 47)*. *Plumiers japonais* : ces plumiers de laque noire, au couvercle décoré de motifs floraux rouges ou dorés, étaient à la mode chez les écoliers du début du siècle.

25 *(p. 47)*. *Plumes baïonnette de Blanzy Poure* : la fabrique de plumes Blanzy, en association avec le professeur Poure, produisait entre autres modèles des plumes obliques appelées, au début du siècle, « plumes baïonnette » à cause de leur forme.

26 *(p. 62)*. *Frères humains* : écho du premier vers du poème de Villon communément connu sous le titre *Ballade des pendus* : « Frères humains, qui après nous vivez. » Ce vers inspira à Albert Cohen le titre d'une de ses œuvres (cf. « Repères chronologiques »).

27 *(p. 75)*. « *Ce n'est pas le jour, ce n'est pas l'alouette* » : citation tronquée de deux vers de *Roméo et Juliette*, de Shakespeare (acte 3, scène 5) : « Veux-tu partir ? Ce n'est pas encore le jour. / C'était le rossignol, non l'alouette. »

28 *(p. 75)*. *Ophélie* : dans *Hamlet* de Shakespeare, Ophélie est destinée à épouser le prince Hamlet, qu'elle aime. Devant l'attitude étrange d'Hamlet, elle perd la raison et se noie.

29 *(p. 83)*. *Marianne* : Marianne Goss, épouse d'Albert Cohen de 1931 à 1947. L'auteur lui rend ici un hommage discret en ne supprimant pas une allusion qui remontait à *Chant de mort*.

30 *(p. 85)*. *La comtesse de Noailles* : Anna de Noailles (1876-1933) publia à partir de 1901 plusieurs recueils qui la firent considérer par beaucoup comme un grand poète lyrique, du moins de son vivant. À l'époque où écrit Albert Cohen, peu d'amateurs de poésie songent à qualifier de « génie » Mme de Noailles, dont les œuvres ont mal supporté l'épreuve du temps.

31 *(p. 89)*. *Diane* : l'hypothèse d'un éventuel modèle dans la vie réelle de plusieurs héroïnes des œuvres d'Albert Cohen ne présente sur le plan littéraire qu'un intérêt secondaire. Et forcément éphémère. Qui se soucie aujourd'hui de savoir si Racine, comme l'ont pensé certains de ses contemporains, s'est inspiré de la nièce de Mazarin pour créer l'héroïne de *Bérénice* ? On notera que Diane est aussi le nom d'une divinité

150

de la mythologie romaine. Comme Anna Karénine, Diane représente un type de femme amoureuse.

32 *(p. 96)*. *Dénoue tes sandales* : geste rituel de respect.

33 *(p. 109)*. *Tout va très bien, Madame la Marquise* : titre et début de refrain d'une chanson humoristique de Paul Misraki (1935), devenu quasi proverbial. Un domestique apprend peu à peu à la Marquise l'incendie de son château, la mort de son mari, et ajoute à chaque refrain « mais à part ça, Madame la Marquise, tout va très bien, tout va très bien ».

34 *(p. 115)*. « *Rien ne nous rend si grands qu'une grande douleur* » : citation de Musset (*La nuit de mai*).

35 *(p. 117)*. *Le Danube Bleu* : titre exact : *Le Beau Danube bleu*. Pièce musicale célèbre de Johann Strauss fils (1825-1899).

36 *(p. 120)*. *Mon Jean-Bart* : chapeau d'enfant imité des chapeaux de marin du XVIIᵉ siècle. De la fin du XIXᵉ siècle à 1920 environ, le costume marin fut en vogue pour habiller les petits garçons (p. 32).

37 *(p. 138)*. *Yvonne* : Yvonne Imer (cf. « Repères chronologiques »). Cette allusion, dans un tel contexte et longtemps après la mort d'Yvonne Imer, atteste l'importance de cette amie dans la vie affective de l'auteur.

38 *(p. 144)*. *Je vous salue, mères pleines de grâce* : calque de la prière chrétienne « Je vous salue, Marie, pleine de grâce ». De même « Nos Dames » (p. 143) est démarqué de « Notre Dame », c'est-à-dire Marie, mère de Jésus.

■ Un bon dictionnaire des noms propres vous renseignera suffisamment sur : les présidents *Loubet* et *Fallières* (p. 34), la *reine de Saba* (p. 38), *Chanaan* ou *Canaan* (p. 66), *Atalante* (p. 74), *Pétrarque* (p. 75), etc.

DOSSIER

par Michel Bigot

Ce dossier pédagogique s'adresse à la classe tout entière, professeur et élèves. Ce n'est pas un commentaire continu et dogmatique du texte étudié, mais une alternance, distinguée typographiquement, entre informations, analyses (en caractères maigres), et incitations à la réflexion, questions (en caractères gras), à traiter par écrit ou par oral, individuellement ou en classe. Dans les deux sections principales — « Aspects du récit » et « Thématique » — l'analyse proposée laisse progressivement plus de place à l'initiative et à la recherche du lecteur (pistes pour l'étude et la recherche).

Pour faciliter l'élaboration des exposés oraux ou la rédaction des travaux écrits (cf. la dernière section « Divers »), on trouvera en marge le repère suivant :

qui fait référence à l'écriture d'Albert Cohen.

1. CONTEXTES

Repères chronologiques ▪ Genèse ▪
Place dans l'œuvre ▪ Contexte historique.

Repères chronologiques

1895 Naissance à Corfou, le 16 août, d'Abraham Albert Coen; la
graphie « Cohen » sera adoptée plus tard par le futur écrivain. Ses
parents, Marc et Louise Coen, née Ferro, se sont mariés l'année
précédente. Ils appartiennent à l'une des deux communautés juives
de l'île, celle qui utilise un dialecte italien (p. 67). Son grand-père
paternel, qui le marqua profondément, fut longtemps président de
la communauté israélite de l'île.

> « Je pense soudain au père de mon père, un vieillard
> de haute taille, sage et puissant, que j'ai aimé et res-
> pecté. [...] Un patriarche, mon grand-père. À la
> synagogue, et même parfois dans la rue, ses adminis-
> trés lui baisaient la main. À la maison aussi,
> lorsqu'il arrivait, sa femme, ses fils et ses filles lui
> baisaient la main. Moi, selon un rythme instinctif,
> venu de quelque lointain passé, je baisais trois fois
> sa lourde main tout en m'inclinant à chaque reprise.
> [...] Après le dîner, mon grand-père m'emmenait
> parfois dans sa chambre. Là, assis dans un impo-
> sant fauteuil, il me traitait avec une princière affec-
> tion, et même avec une sorte de considération, due
> sans doute à mon double droit d'aînesse, premier fils

que j'étais de son fils aîné. Il me disait la beauté des lois et ordonnances de notre sainte Bible, me disait la grandeur du Dieu d'Israël, le seul vrai Dieu » (Carnets 1978, Folio, p. 146-147).

1900 Marc et Louise Coen émigrent à Marseille avec leur enfant. Ils installent un petit commerce d'œufs. Des raisons économiques et l'hostilité d'une partie de la population corfiote à l'égard des Juifs expliquent cet exil.

1901-1904 Albert fréquente une école maternelle catholique, puis l'école communale.

1904 Entre en classe de huitième (équivalent actuel : le CM1), au lycée Thiers de Marseille.

1905 Révélation douloureuse de l'antisémitisme.

À la sortie d'un cours, l'enfant est attiré par un attroupement. Un camelot vante les qualités d'un « détacheur universel ». Le petit garçon se glisse au premier rang. « Extasié, physiquement charmé, j'écoutais l'enchanteur, je le contemplais avec foi, une foi de petit chien, je croyais en lui, et je l'aimais. » Mais le camelot le remarque : « Toi, tu es un Youpin, hein ? [...], je vois ça à ta gueule [...]. » Après une bordée d'ignobles injures, le camelot ordonne à l'enfant de déguerpir, tacitement approuvé par les assistants. « Je m'étais avancé en offrant les roses de mon cœur et on m'avait jeté au visage, à mon visage confiant et neuf, un paquet d'immondices. »
Quarante ans après, cette découverte de la haine ins-

*pirera à Albert Cohen un texte (*Jour de mes dix ans*) qui, remanié, deviendra* Ô vous, frères humains, *dont est extraite la citation précédente.*

1908 Retourne à Corfou pour un séjour de deux semaines. L'île lui apparaîtra désormais comme une sorte de paradis perdu.

1909 Noue une solide amitié avec Marcel Pagnol, qu'il connaît depuis la classe de sixième.

1914 Son baccalauréat obtenu, après une cure rendue nécessaire par sa santé délicate, il s'installe à Genève pour entreprendre des études supérieures.

1917 Licence en droit. Commence des études de lettres.

1919 Obtient la nationalité suisse. Épouse Élisabeth Brocher, fille d'un pasteur genevois. Avocat stagiaire.

1920 Révélation de l'œuvre de Marcel Proust, une de ses grandes admirations littéraires.

1921 Sa première œuvre : *Paroles juives*, recueil de poèmes inspirés par la spiritualité juive. Naissance de sa fille Myriam. Rencontre de Chaïm Weizmann, haute figure du sionisme et futur président d'Israël. C'est le début d'une longue collaboration amicale pour la défense et l'illustration du judaïsme.

1924 Mort d'Élisabeth Cohen, atteinte d'un cancer.

1925 Albert Cohen assume la direction de *La Revue juive*, dans laquelle il publie plusieurs articles. Pendant plusieurs années il résidera tantôt à Genève, tantôt à Paris, tantôt en Haute-Savoie.

1926 Il entre à la division diplomatique du Bureau international du travail (BIT) à Genève.

1929 Mort de son amie Yvonne Imer, pour laquelle il avait commencé, les années précédentes, à écrire son premier roman, *Solal*, et avec laquelle il devait se marier.

1930 Parution de *Solal*.

1931 Il épouse Marianne Goss. Abandonne ses fonctions au BIT pour se consacrer à son œuvre littéraire.

1933 Représentation à la Comédie-Française d'une pièce en un acte écrite en 1927 : *Ézéchiel*.

1935-1937 Il travaille à la suite romanesque dont *Solal* était le point de départ.

1938 Parution de son deuxième roman : *Mangeclous*, dédié à son père.

1939-1940 Il représente l'Agence juive pour la Palestine auprès du gouvernement français. Après la défaite, il remplit les mêmes fonctions à Londres auprès de plusieurs gouvernements en exil. Ses parents sont restés à Marseille.

1943 Mort, le 10 janvier, de Louise Coen, mère de l'écrivain. Il rencontre pendant l'été Bella Berkowich, qu'il épousera quelques années plus tard. Il occupe les fonctions de conseiller juridique au Comité intergouvernemental pour les réfugiés

1946 Il crée un titre de voyage pour des réfugiés privés d'un passeport national et en tire une légitime fierté.

1947 Il retourne en Suisse. Dirige un important service à l'Organisation internationale pour les réfugiés, qu'il quittera deux ans plus tard pour travailler au BIT. Bella Berkowich travaille dans le même organisme. Il divorce d'avec Marianne Goss.

1951 Albert Cohen quitte définitivement ses fonctions pour se consacrer à la littérature.

1952 Mort de son père, Marc Coen.

1954 *Le livre de ma mère*.

1955 Mariage d'Albert Cohen et de Bella Berkowich.

1961-1964 Graves ennuis de santé. Mais Albert Cohen travaille toujours à l'ensemble romanesque commencé avec *Solal* et *Mangeclous*.

1968 Il publie *Belle du Seigneur*, son chef-d'œuvre, qui reçoit le grand prix du roman de l'Académie française.

1969 Parution des *Valeureux*, composé à partir des passages dont l'auteur avait amputé *Belle du Seigneur*, jugé trop long.

1972 Parution de *Ô vous, frères humains*.

1978 État dépressif profond, dont on trouve l'écho dans *Carnets 1978*, publié l'année suivante.

1981 Mort de l'écrivain, le 17 octobre.

Genèse

Dans *La France libre*, périodique publié à Londres par des Français luttant contre l'Allemagne nazie aux côtés des Britanniques, Albert Cohen fait paraître en juin 1943 la première partie de *Chant de mort*, inspiré par la mort de sa mère. Outre le chagrin de perdre un être tant aimé, le désespoir d'avoir été séparé de sa mère dans les derniers moments de sa vie anime l'auteur dans la rédaction de ce texte (cf. « Contexte historique »). Les trois autres parties sont publiées dans les numéros de juillet 1943, de février et de mai 1944 du même périodique.

Chant de mort avait été composé dans l'urgence du

malheur : cependant la guerre et l'après-guerre ne permettent pas à Albert Cohen de se consacrer à l'écriture. L'année 1952 le voit sortir de son silence pour travailler au *Livre de ma mère*, qui reprend en partie *Chant de mort* : « Des années se sont écoulées depuis que j'ai écrit ce chant de mort » (p. 146). On trouve aussi une trace du texte initial dans l'allusion à Marianne (Goss) (p. 83).

■ **Une œuvre reprise et transformée près de dix ans plus tard. Qu'en conclure sur la force du thème, sur l'importance de l'écriture dans la vie intime de l'auteur ?**

Le processus de création rappelle celui de *Ô vous, frères humains* (1972), refonte de *Jour de mes dix ans* (1945). Les écarts de temps entre l'événement fondateur de l'œuvre, sa première version et la version définitive sont encore plus grands que pour *Le livre de ma mère*. Pour se borner au contenu, les deux œuvres ont en commun d'être des réactions à une douleur extrême (cf. encadré p. 156-157).

Au printemps de 1953, Cohen termine le manuscrit du *Livre de ma mère*, après plusieurs remaniements. L'œuvre paraît en mars 1954 aux éditions Gallimard.

Les livres d'Albert Cohen sont des offrandes à des êtres tendrement aimés. Offrande à sa mère, pour le cas présent, mais aussi à sa jeune femme Bella : « *Le livre de ma mère*, je l'ai écrit pour ma femme qui n'a pas connu mon admirable mère et à qui je voulais la faire connaître afin que nous l'aimions ensemble » (*Magazine littéraire*, avril 1979, entretien avec Albert Cohen). La nécessité du partage de la douleur et de l'amour filial, avec tout lecteur bien sûr, mais aussi avec

160

l'épouse aimée, est un facteur important dans la conception de l'œuvre.

Place dans l'œuvre

Bien que *Le livre de ma mère* rivalise en notoriété avec *Belle du Seigneur*, Albert Cohen est surtout connu du public comme romancier. Ses romans reflètent une vision du monde inspirée d'un judaïsme généreux et ouvert. Il rejette le culte de la nature, qu'il se traduise par le goût de la force brutale ou la soumission à la passion, forme déguisée d'abandon à l'égoïsme animal. À l'opposé, il exalte un humanisme nourri de la Loi de Moïse et valorise compassion et tendresse.

Non qu'il soit un écrivain moralisant : son humour, sa verve comique l'en préservent de toute façon. Son personnage central, Solal (*Solal, Belle du Seigneur*), sera deux fois brisé pour avoir cédé à l'amour-passion en étant conscient de ses impostures : il ne fait pas figure de modèle idéal, en dépit de la fascination qu'il exerce sur l'auteur et... le lecteur. C'est plutôt dans les Valeureux, ces Juifs de Céphalonie (l'équivalent romanesque de Corfou), liés par l'amitié, qu'il faudrait voir une incarnation des valeurs que Cohen souhaiterait plus répandues. En dépit de leurs travers, les Valeureux sont heureusement marqués par leur religion et totalement dépourvus de méchanceté.

Si l'on rapproche *Le livre de ma mère* de cet univers romanesque, où l'aventure pittoresque et le comique sont des éléments importants, on est tenté de voir dans le texte de 1954 une parenthèse dans l'œuvre de Cohen. D'autant qu'entre la parution de *Mangeclous* et celle de *Belle du Seigneur* s'écoulent trente années d'un silence littéraire seulement interrompu par la publication du *Livre de ma mère*.

● Pourtant cette œuvre n'est pas étrangère au monde romanesque d'Albert Cohen. On y retrouve l'opposition entre l'**amour-passion** et l'**amour-tendresse** (cf. p. 183 à 187), la **hantise de la mort** qui traverse des romans comme *Solal* ou *Belle du Seigneur*. Quant à la forme, s'il est bien évident que le ton rabelaisien de certaines pages des romans aurait été déplacé dans *Le livre de ma mère*, les **ruptures de ton**, le **mélange de gravité tragique et de comique** qui fait parfois succéder les scènes cocasses aux élans lyriques, l'utilisation de l'**ironie**, qui sait être sarcastique ou tendre, sont des constantes du style d'Albert Cohen, dans ses romans comme ici. Les extraits suivants de *Belle du Seigneur* donneront un aperçu de la parenté entre l'univers fictif et le domaine de l'autobiographie.

À la fin de la troisième partie du roman, le narrateur déplore, en des paragraphes de prose poétique, la fuite du temps qui efface la jeunesse et ses amours. « Les autres se consolent avec des honneurs, des conversations politiques ou de la littérature. Ou encore ils se consolent, les imbéciles, avec le plaisir d'être connus ou de commander ou de faire honorablement sauter leurs petits-enfants sur leurs genoux. Moi, dit celui qui fut jeune, je ne peux pas être sage, je veux ma jeunesse, je veux un miracle, je veux les fruits et les fleurs de l'aimée, je veux n'être jamais fatigué, je réclame les hymnes noirs qui couronnaient ma tête. Il a du culot, le vieillard. Allons, qu'on lui prépare un cercueil bien neuf et qu'on l'y fourre!

[...] Seul sur ma banquise, dit celui qui fut jeune, ma banquise qui me conduit on sait où dans la nuit, tout perclus et déjà agonisant, je bénis d'un geste affaibli, je bénis les jeunes qui ce soir s'enivrent d'aveux sous les étoiles aux infinies musiques susurrées. Seul sur ma banquise, mais j'entends toujours les chants du printemps. Je suis seul et vieillard sur une banquise, et c'est la nuit. Ainsi dit un qui fut jeune.

[...] Il y a du silence au cimetière où dorment les anciens amants et leurs amantes. Ils sont bien sages maintenant, les pauvres. Finies les attentes des lettres, finies les nuits exaltées, finis les battements moites des jeunes corps. Au grand dortoir, tout ça. Tous allongés, ces régiments de silencieux rigolards osseux qui furent de vifs amants. Tristes et seuls au cimetière, les amants et leurs belles. [...] »

*(*Belle du Seigneur, *Gallimard, coll. Blanche, p. 415 et 416).*

■ **Relever dans ces trois extraits les tournures et les formules que l'on trouve déjà dans *Le livre de ma mère*. Montrer qu'il ne s'agit pas de simples tics de style, mais qu'elles renvoient à des préoccupations constantes que vous définirez.**

● Mais c'est évidemment avec *Ô vous, frères humains*

163

et *Carnets 1978*, œuvres autobiographiques qui sont la description d'une souffrance et une méditation sur celle-ci, que *Le livre de ma mère* entretient les rapports les plus étroits. Des passages précis sont même repris dans l'un et l'autre des deux textes postérieurs. La prosopopée initiale trouve un écho très proche dans celle qui ouvre *Ô vous, frères humains*, avec une invocation à la « plume d'or » de l'auteur (p. 8).

> *La prosopopée est une figure de style qui consiste à prêter vie à des objets, ou à des personnes mortes ou absentes. Elle traduit la véhémence d'une émotion.*

L'autel que le petit garçon dresse aux grands hommes de la France est rappelé dans la même œuvre, avec des expressions semblables par moments (« Mince de conspiration juive. Tout à fait Protocoles des Sages de Sion », p. 35). Le début de *Carnets 1978* est un hommage à la mère de l'écrivain, et l'émotion est la même que dans le texte de 1954. Les deux œuvres présentent des méditations passionnées avec des redites et des retours qui ne surprennent pas le lecteur du *Livre de ma mère*.

■ **Se reporter aux pages 42-43 de *Carnets 1978* (Folio). Comparer ces pages avec les passages du *Livre de ma mère* qui évoquent les tisanes et les médicaments maternels.**

Ce **chant d'amour et de mort**, isolé dans le temps des œuvres antérieures et à venir, fait entendre la même voix que dans celles-ci.

Contexte historique

La peur d'autrui manifestée par Mme Coen n'est pas seulement un trait de caractère, ni uniquement une conséquence de son statut d'étrangère. Elle sait que la société des Gentils peut être féroce pour les Juifs.

■ **Relever deux ou trois exemples de cette crainte éprouvée par Louise Coen. Quels en sont les motifs précis? Parallèlement, relever les allusions du narrateur à la réalité historique de l'antisémitisme. Comparer les deux séries.**

Famille israélite de Corfou, les Coen arrivent à Marseille dans des circonstances bien particulières (voir les causes de leur exil p. 156). Ils figurent parmi les premiers d'une vague d'immigrés juifs, en provenance pour la plupart d'Europe centrale et de Turquie. Or l'affaire Dreyfus, si elle connaît son terme officiel en 1906, va continuer à mettre en évidence l'antisémitisme d'une fraction de la population française.

Entre les deux guerres mondiales la presse antisémite exploite des conditions favorables au développement de sa campagne de haine : les difficultés économiques du pays, la montée puis le triomphe du nazisme en Allemagne, un nouvel afflux d'immigrés, l'absence de loi sanctionnant les écrits propageant des thèses racistes.

Dès 1940 la défaite de la France entraîne son découpage : la zone nord se trouve sous la coupe directe des Allemands ; la zone sud, dite libre, est placée sous l'autorité du gouvernement de Vichy. Toute une série de mesures vont, dans les deux zones, rendre le sort des Juifs de plus en plus dramatique. Les parents d'Albert Cohen se trouvant alors à Marseille, on se bornera à rappeler les principales mesures qui, de l'été 1940 à novembre 1942 (date de l'invasion de la zone sud par les Allemands), visent les Juifs dans la France du gouvernement de Vichy.

— Octobre 1940 : définition du statut des Juifs, leur interdisant l'exercice de certaines professions (notamment d'être fonctionnaires. Ainsi les enseignants israélites sont chassés de leurs postes dès la fin du trimestre). Les préfets ont pouvoir d'interner les Juifs étrangers.

— Avril 1941 : interdiction d'exercer une profession mettant en contact avec le public.

— Juin 1941 : obligation de se faire recenser en tant que Juif.

Malgré la dureté de ces mesures discriminatoires, les Français israélites de la zone « libre » ont le sentiment d'être relativement épargnés quand ils comparent leur sort à celui de leurs coreligionnaires vivant en zone occupée. Dès l'invasion de la zone sud, la condition des Juifs sur tout le territoire sera identique, et ne fera que s'aggraver.

— Décembre 1942 : obligation d'apposer la mention « Juif » sur les papiers d'identité.

— 22-24 janvier 1943 : grande rafle de Marseille, 1 949 personnes furent déportées vers les camps nazis. La plupart étaient des Juifs. Louise Coen était morte le 10 janvier...

2. ASPECTS DU RÉCIT

Titre ▪ Narration ▪ Structure ▪ Temporalité ▪ Espace ▪ Quelques pistes pour l'étude de l'écriture.

Titre

Les titres des romans d'Albert Cohen renvoient au personnage central ; texte non romanesque, *Le livre de ma mère* n'échappe pas à cette règle. Le titre annonce l'unique sujet du livre, chaque ligne évoque Louise Coen, même quand cette dernière semble absente de telle ou telle page.

▪ **Choisir un passage où l'on perçoit la présence de la mère de l'auteur alors qu'aucune allusion directe n'est faite à sa personne. Voir comment, du détail à l'atmosphère générale, se signale cette présence.**

● Le livre est donc inspiré par la mère pour la sauver de l'absence mieux que ne le feraient des souvenirs gardés secrets. Louise Coen est non seulement le sujet de l'œuvre, mais elle en est l'inspiratrice. Le titre suggère ce rayonnement maternel : la tournure « Le livre de... » fait penser aux titres bibliques : Le livre de Job, Le livre des Rois, etc.

C'est dire que l'œuvre de Cohen est surtout un livre **pour** sa mère. Bien plus qu'un hommage c'est une déclaration d'amour filial, un hymne fervent à la mère vivante destiné à éloigner l'image de la mère morte, sans pour autant que le « maternel fantôme » (p. 8) soit conjuré.

● C'est aussi un acte de réparation. Dans le titre, « ma mère » souligne certes un lien de tendresse unique, mais aussi sonne comme une revendication et presque un défi. Ce fils a, pense-t-il, beaucoup à se faire pardonner et veut en outre venger sa mère du peu de considération que le monde lui accordait.

■ **« Je ne sais pas pourquoi je raconte la vie triste de ma mère. C'est peut-être pour la venger » (p. 50). Établir le rapport entre les deux phrases (vie triste/vengeance). Analyser la liaison entre la demande de pardon et le désir de vengeance dans un autre passage : par exemple p. 68.**

■ **P. 63 : Albert Cohen constate que sa fille ne lui a pas écrit. Pourquoi ajouter « Ma mère est vengée » ? Et qu'exprime ce « petit sourire » ?**

Dans sa simplicité le titre indique donc le sujet, la source et les différents aspects du but de l'œuvre.

■ **_Chant de mort_ est devenu _Le livre de ma mère_. Comment expliquer l'abandon du premier titre au profit du second ? Analyser le passage de « chant » à « livre », et de « mort » à « mère ».**

Narration

Le livre de ma mère est un texte à caractère **autobiographique** centré sur le souvenir de la mère de l'auteur-narrateur. Le premier chapitre ne l'indique pas précisément, car rien n'avertit le lecteur que l'auteur et le narrateur se confondent. Le texte ne le révèle expressément qu'à la page 23 : « tu es un Cohen... ». Ce nom n'est certes pas rare, et l'on pourrait imaginer en principe qu'il s'agit d'un Cohen fictif. Mais d'autres indices, pour qui connaît, même superficiellement, la vie de l'auteur, prouvent que l'auteur et le narrateur ne font qu'un. Le premier est l'allusion à la ville de Genève (p. 11).

● Le souvenir prend corps dans un **récit**. Albert Cohen raconte en effet tel ou tel événement du passé. Il en est ainsi dans le chapitre II, et au début du suivant on lit : « Ce que je viens de me raconter... » Il rapporte aussi les incidents du présent qui viennent se glisser dans la trame des souvenirs ou interrompre sa méditation.

■ **Exemple : p. 112. Trouver d'autres menus événements brièvement racontés. Leur fonction est-elle de distraire le narrateur ou d'alimenter ses pensées ?**

Le récit autobiographique implique une narration à la première personne. L'auteur-narrateur ne peut être omniscient. Dans un roman, le narrateur peut tout connaître des idées et des sentiments les plus secrets des personnages si l'auteur a choisi cette technique de narration (c'est le cas d'Albert Cohen romancier). Cependant le lecteur du *Livre de ma mère* rencontre parfois des notations qui débordent le cadre strict du témoignage à la première personne.

■ **Exemple : p. 15-16. En quoi l'auteur se comporte-t-il comme un narrateur omniscient ? Comment cette entorse au récit à la première personne peut-elle se justifier ?**

Dans *Le livre de ma mère* les dialogues sont le plus

souvent rapportés au style indirect. Seuls les propos de la mère sont, par moments, cités directement.

■ **Pourquoi cet effacement de la parole du fils au profit de celle de la mère? Voir en particulier le chapitre III (conseils, sentences : la transmission d'une sagesse).**

● Ces remarques rapides sur la narration ne doivent pas dissimuler le fait que le texte n'est que partiellement un récit. Il est aussi **interrogation morale**, prière, invective : un vaste poème en prose de la douleur. C'est avant tout un « tombeau », c'est-à-dire une œuvre composée en l'honneur d'un mort admiré et chéri dont la disparition reste toujours cruelle.

■ **Recherche de vocabulaire. Voir les définitions de : lamentation / lamento / déploration / thrène / ode funèbre.**

■ **Le poète Stéphane Mallarmé a écrit plusieurs « tombeaux ». Leur lecture peut être déroutante : tenter pourtant de les aborder, et voir au moins lequel de ces poèmes est le plus proche par le thème de l'inspiration du *Livre de ma mère*.**

Structure

Le livre de ma mère est divisé en trente et un chapitres. Le premier constitue une **ouverture**, au sens musical du terme : il annonce les thèmes essentiels de l'œuvre et révèle l'état d'esprit de l'auteur. Les trois derniers, élargissant le thème central du lien entre mère et fils, puis proposant la vision de l'écrivain sur sa douleur avec le recul du temps (p. 146), forment un **finale**. Les chapitres du livre sont courts, parfois très brefs. Ils sont en outre le plus souvent fragmentés en paragraphes séparés par des blancs ; on serait plutôt tenté de parler de strophes dans les sections marquées particulièrement par le lyrisme du chant d'amour ou du chant de mort.

Cette écriture fragmentaire, caractéristique des textes autobiographiques d'Albert Cohen, trouve ici une justification toute spéciale.

■ **Analyser l'effet de l'écriture fragmentaire pour :**
— la transcription des souvenirs (piste : le jeu de la mémoire ; des scènes, des images s'imposent par leur charge émotive ou leur force symbolique).

— l'évocation du surgissement répété de la souffrance.

● Les sections les plus longues se rencontrent dans les cent premières pages. Le chapitre le plus développé est le douzième (environ 14 pages dans cette édition). Le neuvième et le dixième comportent respectivement 10 et 9 pages. Les treize premiers chapitres occupent environ 90 pages, alors que les 18 chapitres suivants n'en recouvrent que 53. Cette différence quantitative n'est pas sans signification et traduit une progression de la montée de l'angoisse.

Ainsi, les treize chapitres du début forment **un premier mouvement** dans lequel l'auteur conjure en partie le désespoir par le rappel des souvenirs, liés successivement à des lieux, Marseille, puis Genève. Le récit de ces souvenirs exige un certain développement. Dans ce mouvement initial le chapitre VII constitue un premier adieu à la mère, dont le rappel par le souvenir avait en partie masqué l'absence : maintenant la mère de l'enfance ne sera « jamais plus ». Puis les souvenirs de Genève aboutissent au chapitre XII, chapitre capital puisqu'il développe des thèmes majeurs : la conception de l'amour, la compassion (p. 83), la perfection maternelle, et qu'il constitue, après l'adieu à la mère de l'enfance, l'adieu à la mère de l'adolescence et de l'âge adulte. Le sentiment de culpabilité qui marquait les pages précédentes envahit le chapitre XIII en prolongement du chapitre antérieur. À ce moment le premier mouvement s'achève.

● On entre avec le chapitre XIV dans **le second mouvement** où l'auteur se trouve encore plus seul dans sa nuit ; le rythme plus rapide du déroulement des chapitres traduit un affolement devant la douleur. L'évocation de la mort est plus dramatique. Rêves, obsessions, visions du cimetière où repose la mère, révolte contre un Dieu trop absent, misérables échappatoires des jeux dérisoires, angoisse devant sa propre mort, toutes ces attitudes ou ces pensées se succèdent comme autant de tentatives pour nier l'irrémédiable, vite vouées à l'échec.

Ce second mouvement est aussi caractérisé par des reprises du premier (exemples : le retour au souvenir d'enfance, p. 119-120 ; Diane, p. 117), ou des oppositions symétriques avec des pages du début. À la mère montrée dans son « juif royaume » (p. 12) répond de manière tragique le silence de Dieu dans les chapitres XXI à XXIII.

● Il ne s'agit donc pas de deux mouvements qui se

succéderaient linéairement, mais d'une **progression** traversée de redites, de nouvelles variations, d'interrogations sans cesse réitérées. On a parlé plus haut d'ouverture et de finale : si la composition de l'œuvre doit peu à la rhétorique traditionnelle, elle se rapproche de celle d'une pièce musicale qui se charge de plus en plus de souffrance au fil des phrases, d'un **lamento** où les thèmes se mêlent et s'entrecroisent.

■ **Donner un titre à chacun des chapitres, du quatorzième au vingt-cinquième. Dans quels cas peut-on donner le même titre à deux, voire à trois chapitres?**

Temporalité

Le passé

Le livre de ma mère n'est pas ordonné suivant une chronologie linéaire. L'auteur semble procéder par des coups de sonde successifs à des profondeurs différentes du passé. Ainsi les chapitres II et III, qui inaugurent le récit des souvenirs concernant la mère, renvoient à la période où Albert Cohen était « adulte », « fonctionnaire international » à Genève (p. 19), soit entre 1926 et 1930. En outre, le début du chapitre II est marqué par un souvenir plus lointain, quand l'auteur était étudiant et encore « adolescent » (p. 11), donc vers 1914-1915. La manière dont ces deux périodes s'articulent montre que la chronologie importe peu : les souvenirs s'enchaînent ici par association d'idées (le thème des bijoux de Mme Coen). Ce n'est qu'à partir du chapitre V que l'enfant et sa jeune mère sont évo-

qués (période de 1900 à 1905), pour laisser place
ensuite à l'adolescent de la page 11 qui réapparaît au
chapitre VIII (« À dix-huit ans je quittai Marseille... »). Les
chapitres V à VII ne constituent pourtant pas une parenthèse définitivement fermée (cf. « Structure »), car le
thème de l'enfance resurgit brusquement aux
pages 119-120, et cette fois sans qu'une association
d'idées aussi claire que dans le chapitre II explique
l'intrusion d'un passé plus lointain.

■ **Le souvenir des pages 119-120 ne se manifeste pourtant
pas gratuitement ; comment expliquer sa présence dans
le contexte du chapitre XXI ?**

● Tout se passe donc comme si le rappel des souvenirs n'était dû qu'à une logique du cœur : c'est leur
valeur affective qui les fait affleurer à la conscience de
l'auteur en ordre apparemment dispersé (exemple :
p. 85). Or, quelle que soit l'ancienneté du souvenir,
l'amour de sa mère reste immuablement constant ;
ainsi le désordre apparent de la mémoire met en relief
la permanence de l'amour maternel. L'ordre chrono-
logique n'est respecté qu'à la fin du livre (p. 138-139),
dans un saisissant raccourci de toute une vie d'amour
entre une mère et son fils.

■ **Étudier ce passage : la place de l'enfance — alors que
les souvenirs de l'adolescence et de l'âge adulte
dominent quantitativement dans le livre ; l'importance
des détails concrets et des précisions rétrospectives
(exemple : « j'ai vingt ans », précise le chapitre XXVII).**

● Le passé retrouvé se présente sous deux formes.
D'une part, celle de la longue période, assez indétermi-
née, où règne la permanence du génie maternel de

174

Mme Coen, de son attention sans défaut, comme de ses habitudes et de ses petits travers. Ces longues plages temporelles évoquent le plus souvent un paradis perdu, où chaque jour ressemblait à l'autre : le bonheur n'a pas d'histoire. D'autre part, le passé peut prendre la forme d'un événement marquant, qui se détache sur ce fond temporel uniforme : ce n'est pas toujours un souvenir heureux (exemple : p. 68-69).

■ **Étudier le passage du souvenir d'un fait habituel à celui d'un événement particulier.**

Exemples :

❱ **Chapitre II (« chaque sabbat » / « lors d'un sabbat ») ;**

❱ **Chapitre VI (« nos promenades du dimanche » / « en ce dimanche ») ;**

❱ **Chapitre IX (« on marchait lentement » / « soudain elle prit mon bras »).**

Voir les signes grammaticaux qui indiquent ce glissement temporel ; l'effet produit sur le lecteur par les ellipses, notamment dans le troisième exemple proposé.

Le présent

Les souvenirs convergent vers un présent censé être celui de l'écriture du livre. Dès les premières pages, le lecteur a l'impression que ce présent est fait d'un seul soir, puis perçoit qu'il s'étend à plusieurs soirs ou nuits (p. 123). Le présent est presque toujours nocturne. L'allusion à une fanfare, qui joue forcément pendant le jour (p. 108), n'est qu'une exception éphémère (p. 109 : « maintenant, c'est la nuit »). Ainsi le présent est le temps de l'homme mûr qui écrit, se souvenant du passé, mais aussi songeant à sa mère morte, enfouie sous la terre au moment même où il écrit. Le double visage de la mère, inscrit dans le passé et ce présent, apporte la souffrance. La mère vivante n'est qu'une image de la mémoire, le présent n'offre plus d'elle que la vision d'un cadavre. À ce niveau toute la pensée est marquée par le malheur. Et quand l'auteur utilise le temps verbal du présent autrement que pour décrire une situation actuelle, quand il porte des jugements sur la condition humaine, ses réflexions sont empreintes de la même tristesse.

■ **Repérer dans le premier chapitre ces trois domaines du présent : l'affliction du fils / la mère dans la tombe / la méditation sur les hommes.**

● Cela précisé, passé et présent communiquent souvent, et pas seulement parce que le passé envahit la pensée de l'auteur. Le passé peut annoncer les jours funèbres vécus dans le deuil (p. 57), comme le présent peut aussi contenir en germe un avenir désolant (chapitre XVII ; et p. 111 et 135). Le plus souvent le présent surgit dans le rappel du passé, soit dans le cours même de l'évocation d'un souvenir (p. 17-18 et 22), soit en conclusion brutale à ce dernier (p. 56, 60, etc.).

■ **Analyser les effets produits par l'une et l'autre manières qu'a le présent de faire irruption dans le récit du passé. Voir les passages signalés ci-dessus.**

Aussi le rapport entre le passé et le présent est-il marqué par la répétition d'expressions comme « jamais plus » ou « trop tard », sur le mode du regret ou du remords. Le dernier chapitre rejette brusquement ce que le lecteur prenait pour le présent de l'écriture dans un passé de plusieurs années. La genèse de l'œuvre justifie ce saut temporel (cf. « Genèse »). Mais c'est aussi un moyen de nous faire sentir l'éternel présent d'un deuil irrémédiable.

Espace

Dès le début, par l'image de l'île déserte, le texte suggère un espace confiné et vide. L'expérience de la limitation et de la solitude que traduit cette métaphore va être vécue dans le lieu clos qu'est le bureau de l'auteur, premier décor proposé au lecteur. Pièce d'emblée ambiguë : habitée par le malheur (« l'île déserte »), elle permet cependant de tenir à l'écart les « méchants du dehors » et offre au malheureux le réconfort des objets familiers et de son chat. Aussi est-elle « oasis » bienfaisante (p. 8-9).

 ■ **À la page 9, « île » et « oasis » sont repris dans un contexte différent. Analyser les deux nouvelles métaphores.**

Au lieu clos de la pièce où écrit Albert Cohen correspondent symétriquement deux espaces fermés, l'appartement familial du passé et la tombe.

Premier lieu marqué par la mère à être évoqué (p. 49), l'appartement concrétise le retranchement du monde de Mme Coen, qui s'y trouve souvent seule, comme dans une île. Mais il est transformé par la présence en fait ou en pensée du fils bien-aimé.

■ **Voir le rôle que jouent les images du fils dans la solitude de l'appartement (le portrait, la photo...).**

Le pauvre bonheur, bien relatif, qu'offre le bureau de l'écrivain est ici multiplié : Mme Coen est fière de son appartement, et son isolement la protège du moins d'un dehors plus ou moins hostile. On retrouve donc ici la double postulation de l'île déserte et de l'oasis.

● Le vaste espace du monde est-il refusé à cette mère ? À Genève, on assiste à un renversement. Mme Coen aime à se promener avec son fils dans une ville qu'elle sent bienveillante (p. 56-57). Mais cette évasion n'est qu'une parenthèse, bientôt il faudra retrouver le domicile marseillais. Ainsi l'enfant rêvait-il une impossible évasion dans les airs pour être ramené brutalement ensuite à la « neurasthénie » de la solitude (p. 41-42).

En contraste avec l'ouverture relative de l'espace genevois, l'imaginaire du tombeau est dominé jusqu'à l'obsession par le thème de l'**emprisonnement**. On le perçoit dès la première évocation développée de la tombe maternelle (p. 25-26 : répétition de « enfermée » / métaphore filée de la geôle / « lourde dalle »...).

■ **Repérer les autres évocations de la tombe. Analyser les constantes et les différences dans l'expression du thème de la claustration.**

À la vision de l'absente prisonnière de la terre, s'oppose parfois l'image de « Maman... là-haut » (p. 43), « à travers les étoiles » (p. 54), ouvrant un espace infini affranchi des contraintes de la réalité (à rapprocher du désir d'envol de l'enfant). Mais il s'agit d'un espace créé par l'imagination et la tendresse, car l'auteur récuse l'existence du paradis, lieu pour lui littéralement inconcevable.

La **profondeur** est aussi une dimension spatiale significative. Dans la représentation de la tombe, elle renforce la sensation d'emprisonnement « enfouie », p. 10; « si lourde [...] au-dessus d'elle », p. 26-27; « sous terre [...] lourde sur elle », p. 122). Parallèlement, la douleur du fils est profonde : l'expression usée reprend ici toute sa force. Dès le premier chapitre on remarquera : « mais un malheur est dessous » (p. 9). Les images de la douleur sont liées au thème de l'**enfouissement**; les joies sont du domaine du visible, mais la douleur est souterraine, le bonheur et le malheur s'opposent comme le **superficiel** (apparence trompeuse) et le **caché** (le vrai).

■ **De ce point de vue, étudier le passage où, sous l'enveloppe vivante des gens qu'il côtoie, Albert Cohen perçoit la vérité de leur destin : le squelette/la mort (p. 111).**

Quelques pistes pour l'étude de l'écriture

On a déjà eu l'occasion de faire référence à l'écriture d'Albert Cohen dans certaines sections du Dossier (« Place dans l'œuvre » / « Narration »). C'est la variété du registre de l'écrivain qui frappe d'abord le lecteur; un ton unique par son émotion et des traits stylistiques récurrents assurent l'unité de cette écriture.

Les marques caractéristiques du style : par exemple l'antéposition parfois insolite de l'adjectif qualificatif, la juxtaposition de deux adjectifs, l'irruption d'une tournure orale dans le discours, souvent à titre de commentaire ironique, etc.

■ **Relever des exemples des traits signalés, puis trouver d'autres faits stylistiques différents, mais aussi caractéristiques.**

● On pourra étudier plus précisément l'écriture de l'auteur dans le passage suivant : « Maman de mon enfance... petit garçon obéissant de dix ans » (p. 43).

■ **Mettre en lumière la présence de la mère dans les objets (exemple : commenter les adjectifs « rassurantes » et « réconfortante »).**

■ **L'image paradisiaque du passé : le vocabulaire métaphorique (vallée, royaume), la suggestion des sensations.**

■ **Le style de la lamentation : étudier la construction de la première phrase, son rythme / la place de l'expression « jamais plus » dans le passage / l'interrogation finale.**

■ **Étudier l'emploi du mot « Maman » dans cet extrait, sans se borner à l'effet créé par la simple répétition.**

▶ On étudiera également le second paragraphe du chapitre XVII p. 104-105.

■ **Le jeu des répétitions : effets liés au rythme, au choix des mots répétés.**

■ **L'expression de l'autodérision, mais aussi de l'apitoiement sur soi. Définir ce que peut être le comique triste.**

■ Analyser deux ou trois formules particulièrement originales. Exemple : « ces étendus régiments de silencieux » : place de l'adjectif / le mot « régiments » comme aboutissement de toute la phrase / l'adjectif substantivé « silencieux ».

▶ Ainsi que les pages 114-115 à partir de « Les poètes qui ont chanté ».

■ Les moyens pour dévaloriser la poésie : « pouahsie [...] aller à la ligne [...] quatorze lignes [...] hochet de leurs rimes ». Analyser, par exemple, l'écart avec : poésie, versification, sonnet, vers.

■ La satire des poètes. Comment sont mis en évidence leur infantilisme et leur prétention.

■ La réplique à Musset (cf. note 34). Étudier notamment la comparaison « tête de guerrier péruvien ». Cette image n'est-elle pas poétique ? Alors ? Négation de la poésie ou opposition entre deux formes de poésie, et lesquelles ?

■ La violence de l'attaque : le rythme, la véhémence qui va jusqu'à la vulgarité délibérée (pourquoi ?).

3. THÉMATIQUE

La perfection de l'amour maternel ■ **Une mère / toutes les mères** ■ **Ceux du dehors** ■ **L'amour de la vie.**

La perfection de l'amour maternel

« Amour de ma mère, à nul autre pareil. » À partir du chapitre XII cette phrase revient comme une litanie. Elle dit non seulement la grandeur de l'amour maternel, mais sa supériorité sur les autres formes d'amour. Sa perfection est établie par **comparaison**.

La comparaison avec l'amour-passion des amants

● L'amour maternel n'est pas déterminé par l'aspect physique, ni par ses éventuelles variations : un fils est toujours beau pour sa mère.

■ **Repérer sur l'ensemble du livre les signes de cette admiration constante pour le fils. Distinguer les points sur lesquels porte cette admiration (notamment le statut social).**

L'amour-passion, à l'opposé, dépend de l'attrait physique, « d'un agréable arrangement de chairs » (p. 74).

■ **Étudier de ce point de vue le passage p. 74-75 : « D'ailleurs, la poétique demoiselle [...] les gorilles, quoi. » L'opposition entre le vocabulaire du corps et les nobles** sentiments / la mauvaise foi de l'amour-passion / le rôle des termes violents « ordure édentée », « gorilles ».

■ Se poser les mêmes questions à propos du paragraphe suivant. En outre, pourquoi, après l'exemple de l'amante banale, cette référence aux amantes mythiques ? Préciser l'effet créé par les données chiffrées quand on les rapproche de termes comme « âme [...] mystiques ».

L'amour-passion prétend au sublime, mais dépend de quelques détails corporels. C'est là un thème majeur de l'auteur, illustré surtout dans *Belle du Seigneur*.

> « *Une gangrène gazeuse de premier ordre qui obligerait les médecins à me couper les bras et les jambes et les cuisses aussi, bref à faire de moi un homme-tronc, par surcroît pustuleux et puant par l'effet de la gangrène [...]. Eh bien, si moi devenu petit tronc et immobile paquet fétide et punais, m'aimeriez-vous toujours dans le genre poétique et air de Chérubin et Concerto brandebourgeois, et me donneriez-vous des baisers sublimes et perforants ? Répondez ! [...] Eh, mon Dieu, même pas besoin de me faire tronçonner, quelques dents manquantes suffiront pour que votre âme ne trouve plus de plaisir à mon âme* » Belle du Seigneur, *p. 666 et 667*.

● L'amour maternel n'est pas davantage influencé par l'âge de l'être aimé. Que le fils soit un bébé ou un adulte, l'amour de la mère est le même : celui pour son enfant. C'est là le sens du début du chapitre v : « Pleurer sa mère, c'est pleurer son enfance. » Non seulement parce que, comme le précise l'auteur dans les lignes qui suivent, le fils assimile l'image de sa mère à celle de l'enfant qu'il a été, mais parce que la mère voit toujours son fils, quel que soit son âge, du même regard tendre qu'elle avait pour son petit enfant (p. 68 : « Elle me prit sur ses genoux et elle me consola. » Voir aussi p. 79-80).

Or l'amante est incapable de voir l'enfant dans son amant. C'est bien ce que déplore Solal dans *Belle du Seigneur* : « [...] j'aurais tant aimé qu'elle vienne s'asseoir auprès de mon lit, elle dans un fauteuil, moi couché et lui tenant la main ou le bas de la jupe, et elle me chantant une berceuse » (chap. XXXV). L'amante ne s'intéresse qu'à l'homme viril (au « gorille »). Et les changements qu'apporteraient les rides de la vieillesse mettraient fin à sa passion.

● Enfin l'éloignement du fils n'influe pas sur l'amour de la mère, le départ de son enfant pour Genève ne diminue en rien sa tendresse vigilante : elle ne s'habitue pas à cette absence.

■ **Étudier dans le chapitre VIII et au début du chapitre IX les moyens par lesquels Mme Coen pallie l'absence de son fils. Comparer les « pauvres télégrammes » envoyés de Marseille (p. 63) et les télégrammes et appels téléphoniques de Diane (p. 90). Quelle différence radicale permettent-ils d'établir entre ces deux formes d'amour ?**

À l'absence du fils, la mère répond par l'attente patiente. Le thème revient constamment tout au long du texte. Une métaphore rend bien compte du sens de cette attente : « sentinelle » (p. 17). La sentinelle ne se définit pas seulement par l'attente et l'exécution d'un devoir. D'ailleurs l'idée des « devoirs d'une mère » est étrangère à Mme Coen. Son don d'aimer ne relève pas d'un impératif moral : « Elle est la seule qui ne m'aurait pas soigné par devoir ou par affection. Mais par besoin » (p. 84. La sentinelle protège et voit la première les dangers. Ainsi la santé et le bonheur de son fils sont les préoccupations permanentes de Mme Coen. Elle est toujours prête à répondre à une alerte (p. 79-80). Si Diane attend son amant, c'est pour en être aimée, alors que la disponibilité patiente de Mme Coen n'escompte rien en retour. Un passage illustre bien cette opposition : « toutes les autres femmes [...] mais un fils » (p. 84).

L'auteur rend encore plus sensible ce contraste en présentant les « nymphes » (p. 48) et sa mère comme radicalement différentes sur tous les plans. À la naïveté de l'une, maintes fois soulignée, s'oppose l'intelligence jugée excessive de Diane (p. 90) ; à la corpulence, les silhouettes élancées, aux mèches noires, la blondeur. Mme Coen marche avec lenteur, les amantes sont des « nymphes », des Atalante ou des Diane bondissantes. Elles sont « tournoyantes et ensoleillées » ; tout suggère en elles le mouvement — et la fuite possible —, le tourbillon de la vie et des sentiments, les brûlures des passions et l'éclat, alors que la mère, quasi immobile dans sa lenteur, représente la constance discrète de la bonté — sa vertu essentielle —, et l'ombre de l'effacement.

La comparaison avec l'amour filial

Comme l'amour maternel, l'amour filial n'est pas condi-
tionné par l'aspect physique de son objet. Enfant, le fils
voit en sa mère « la plus belle maman du monde »
(p. 120). Lorsque celle-ci perd la sveltesse de ses vingt-
cinq ans, l'affection filiale ne diminue pas. Albert Cohen
est attendri par la gaucherie des mouvements de sa
mère ; doucement moqueur, il est toujours aimant.
Mais ces petits défauts maternels, il les voit et n'atteint
pas la simplicité parfaite de cette mère qui trouve son
enfant constamment admirable.

■ **Albert Cohen, à Genève, présente sa mère à des amis,
mais lui reproche d'avoir téléphoné chez la comtesse.
S'interroger sur cette apparente contradiction.**

■ **L'amour du fils est profond, pourtant il connaît des inter-
mittences dans ses manifestations (par exemple les
« oublis » : la scène du square, le courrier, etc.). Analyser leurs diverses causes.**

■ **Faire aussi la part de la générosité et de la tyrannie dans
l'amour filial.**

Finalement, l'affection du fils, dans le passé, a été parfois en reste sur celle de la mère (d'où le remords de
l'adulte).

Un amour qui englobe tous les autres

Le rayonnement de tendresse de Mme Coen est tel
que son personnage synthétise d'autres liens affectifs
précieux. Pour son fils elle est une amie (p. 57-58), sa
« petite fille » (p. 63), ils sont des « frangins méditerranéens » (p. 57), ils pourraient être « deux vieilles
sœurs » (p. 101), tout en restant, dans le même pas-

sage, des « copains jurés ». Comme si la grandeur de l'amour maternel lui permettait de revêtir des formes moins sublimes, mais également sources de bonheur.

● Généralement, pour désigner sa mère, Cohen écrit tout simplement « ma mère » : rien de surprenant... Cependant il emploie aussi d'autres formes, des substantifs comme « Maman », « ma chérie », des périphrases (« celle qui parlait si gentiment » (p. 25), des métaphores (« guetteuse d'amour », p. 17).

■ **Trouver d'autres exemples qui entrent dans ces différentes catégories. En étudier la valeur expressive. Ainsi, relier au contexte le choix du terme « Maman » (notamment dans le chapitre v), préciser le rapport du comparé et du comparant dans les métaphores.**

● D'ailleurs l'immense amour de Mme Coen pour son fils rejaillit sur les autres.

❱ Le père : l'auteur y fait rarement allusion. Il est vrai que les sentiments d'Albert Cohen à son égard étaient assez contrastés. Dans *Carnets 1978* il lui reproche de ne pas s'être aperçu de la fatigue de son épouse, de l'avoir parfois traitée sans douceur. Mais Cohen éprouve aussi pour son père une affection mêlée de compassion qui s'exprime dans la même œuvre. Cependant l'attachement de Mme Coen pour son mari est incontestable. Elle le définit elle-même : « le vrai amour, veux-tu que je te dise, c'est l'habitude, c'est vieillir ensemble » (p. 23).

■ **Relever les traces de ce sentiment dans *Le livre de ma mère*.**

▶ Mme Coen aime Zola (p. 36), aussi bien que des inconnus qu'elle entrevoit dans le tramway genevois (p. 56). Alors que l'amour-passion, incarné par Anna Karénine, est destructeur, puisqu'il entraîne non seulement le sujet de la passion mais aussi son entourage dans le malheur, l'amour maternel rend Mme Coen bienveillante à autrui.

Une mère / toutes les mères

Dans les romans d'Albert Cohen les femmes sont surtout des amantes ou des épouses. Pour ces dernières, leur maternité semble aller de soi, sans que le narrateur la mette en évidence. La femme de Mangeclous, Rebecca, n'est pas montrée dans ses relations avec ses enfants pourtant nombreux, mais uniquement dans son rôle d'épouse admirative. Une exception cependant avec *Solal*. L'action, au début du roman, est perçue par le regard du personnage principal, Solal, âgé de treize ans. L'image de sa mère, Rachel, s'impose avec force au jeune adolescent.

> « *Rachel Solal, une épaisse créature larvaire qui se mouvait avec difficulté et dont les yeux faux luisaient de peur ou de désir, regardait alternativement son mari et son fils [...]. Ensuite, Solal détailla sa mère. Dans la large face de sable, les yeux de Rachel lançaient l'éclat du charbon taillé. Pourquoi avait-il*

de la répulsion pour cette femme qui le considérait avec une odieuse clairvoyance ? » (Solal, *Folio*, p. 26 et p. 46-47).

■ **Ce personnage de fiction est différent de Mme Coen. Préciser les oppositions entre les deux mères. Montrer qu'il existe pourtant des points communs. Ne pas se borner à un constat : s'interroger sur le sens de ces convergences.**

● Dans *Le livre de ma mère* l'auteur évoque d'abord sa mère sous l'angle le plus particulier : une mère juive corfiote, un peu perdue dans la société française. Dès le deuxième chapitre Mme Coen est mise en scène le jour du sabbat, manière éclatante de souligner sa judéité et aussi son rayonnement, quand on sait le rôle important de la mère de famille en ce jour particulier (« son humble appartement qui était son juif royaume », p. 12). De plus, sur les sept paragraphes qui constituent le troisième chapitre, six contiennent soit une simple allusion à la religion, soit un véritable développement à partir des valeurs du judaïsme.

■ **Noter les thèmes religieux dans ce chapitre. Montrer qu'ils dessinent déjà quelques traits du portrait de Mme Coen.**

Portrait individuel, car il ne faut pas s'y tromper, l'insistance initiale sur sa judéité ne fait pas de Louise Coen un type social ou psychologique, celui de la « mère juive ». Ce n'est en tout cas pas le souci premier de l'auteur : il ne recherche pas le pittoresque, les références religieuses sont au total discrètes. Elles sont plus destinées à créer une atmosphère qu'à présenter un folklore. Il est significatif qu'on ne voit jamais Mme Coen dans un groupe, dans ses relations avec d'autres personnes.

C'est bien une personne unique, originale, qui apparaît dans les premiers chapitres. D'ailleurs la structure même du livre invite à voir Louise Coen dans son individualité propre plutôt que dans ses aspects universels au début du texte, puisque le récit des souvenirs l'emporte alors sur la méditation, plus propice aux généralisations.

● Cependant il est évident que cette mère si individualisée laisse apparaître, dès les premières pages, de manière implicite, des traits qui la rattachent à la quasi-totalité des mères.

■ **Revenir aux thèmes découverts à la suite de la question précédente. Montrer qu'ils renvoient, pour l'essentiel, à des préoccupations communes à toutes les mères.**

D'implicite le rapprochement entre l'image de cette mère et celle de la mère en général se fait manifeste vers le premier tiers du livre (« c'est du propre, notre amour filial », p. 62 ; « Amour de ma mère » ; p. 74 ; « Amour de nos mères », p. 75). À mesure que la méditation investit le texte, Mme Coen incarne de plus en plus toutes les mères.

■ **Il ne s'agit pas de dresser un catalogue de toutes les vertus de la mère de l'auteur : entre les chapitres XII et XXIX, étudier deux ou trois passages dans lesquels l'expression même incite le lecteur à étendre aux autres mères le portrait de Mme Coen.**

Cette rencontre entre le particulier et le général trouve son aboutissement au chapitre XXIX, dans lequel les mères sont invitées à voir en la « sainte sentinelle » célébrée par son fils « votre sœur ma mère » (p. 143). La liste des actions maternelles, soins prodigués ou autres preuves d'amour, est inspirée à l'auteur par son expérience personnelle, mais chacun peut y retrouver le souvenir de sa propre enfance. Les références au christianisme (« Je vous salue », « Nos dames ») sont des signes de cet élargissement (cf. note 38).

■ **L'illustration de la couverture de votre exemplaire du** *Livre de ma mère* : **analyser la reproduction du tableau de Renoir en fonction du thème « une mère / toutes les mères ».**

● L'hymne aux mères du chapitre xxix n'est pas placé à la fin du livre pour des raisons relevant uniquement de la rhétorique, qui commande en effet de partir de l'individuel pour accéder ensuite à un plan général. Bien sûr, ce chapitre apparaît comme le terme logique d'une méditation qui met progressivement en lumière l'essence de l'amour maternel. Mais Mme Coen ne se fond pas dans l'image générale de la Mère : elle reste unique. Simplement, après avoir célébré sa « pauvre enthousiaste » (p. 59), et montré ce qu'elle avait d'irréductible à toute autre personne, Albert Cohen souligne sa parenté avec les autres mères, toutes semblables et toutes différentes, comme des « sœurs ».

■ **Si l'auteur avait placé cet hymne aux mères au début de son livre, en quoi notre perception du personnage de Mme Coen aurait-elle été modifiée ?**

■ **Rapprocher du lien qui unit Cohen à sa mère l'attitude de Roland Barthes dans** *La chambre claire* : « **Et pas plus que je ne veux réduire ma famille à la Famille, pas plus** je ne veux réduire ma mère à la Mère [...]. Dans la Mère il y avait un noyau rayonnant, irréductible : ma mère. [...] À la Mère comme Bien, elle avait ajouté cette grâce d'être une âme particulière. »

Ceux du dehors

« Ceux du dehors » (p. 145) : l'expression renvoie, bien sûr, à une situation concrète. L'écrivain, seul dans sa chambre, songe aux hommes du monde extérieur. Mais le « dehors » désigne aussi une réalité à la fois psychologique et morale : l'incapacité humaine à imaginer la peine d'autrui, la sécheresse de cœur de ses semblables qui condamne l'individu malheureux à se réfugier dans l'île déserte de son espace intérieur (p. 7). Le dehors n'est pas constitué que de méchants, il y a aussi de simples imbéciles, plus rarement quelques silhouettes qui ne suscitent pas l'antipathie. Pourtant, il est significatif que Cohen introduise « les méchants du dehors [...] les salauds » dès la première page de son livre. Quant à l'importance du thème, elle est attestée non seulement par les fréquentes références au « dehors », mais aussi par le fait que l'œuvre s'ouvre et se ferme sur une allusion à ce « dehors » (p. 7 et 145).
● « Qui sont les salauds ? » p. 7 et 8), demande l'auteur. En expliquant son refus de répondre, il donne déjà un début de définition. La vanité agressive est à la source de la méchanceté (« ... dire à tous les peintres qu'ils ont du génie, sans ça ils vous mordent », p. 8). Certes, la cupidité peut provoquer le mal, mais ce n'est

pas à ce défaut que l'auteur réserve ses jugements les plus sévères. Car si elle suppose l'indifférence à autrui, elle n'exprime pas forcément d'hostilité particulière.

■ **L'escroc est-il seulement cupide (p. 29)?**

La conviction d'être supérieur ne peut conduire un individu qu'à la malfaisance, et quand ce sentiment s'empare de tout un peuple, il est dramatiquement dangereux (p. 25 et Dossier, p. 198-199).

■ **Pourtant le médecin bouffi de vanité paraît inoffensif (p. 44 et 45). Comment expliquer son manque d'agressivité?**

De toute manière, ceux qui n'imaginent pas la souffrance d'autrui sont cruels, qu'ils ne le soient pas toujours volontairement ne change guère le résultat.

■ **Analyser de ce point de vue la dernière phrase du chapitre XVIII. Pourquoi ce détail des « minces lèvres »? Quelle est la portée du renversement : « lorsque, moi aussi » etc.?**

● À cette redoutable disposition d'esprit l'auteur répond par l'isolement ou la comédie de l'approbation.

■ **Trouver, notamment dans le premier chapitre, des exemples de la seconde attitude. Montrer que l'ironie s'exerce autant sur l'auteur que sur les autres.**

Cette prudence (p. 7), Albert Cohen la doit en partie à l'expérience ancestrale des Juifs (p. 106), faite de la connaissance des capacités humaines à infliger le malheur. Par l'écriture Cohen s'affranchit de la comédie qu'il doit jouer « dehors » pour avoir la paix. Il pourra alors traiter de « salauds » ou de « crétins », selon leur degré de malfaisance, ces orgueilleux qui ne voient pas le caractère vain des entreprises humaines.

■ L'auteur déclare « idiot » (p. 135) le « bonhomme de la radio » (p. 103). Pourquoi ce mépris? cette violence?

■ Quand, dès la première page, Cohen affirme que certains sont « méchants pour rien », veut-il dire que leur méchanceté n'a pas de cause? Voir l'autre sens de « pour rien ».

● La vanité des actions humaines devrait rendre chacun plus modeste et secourable envers autrui. C'est pourquoi Cohen ne répond pas seulement à la méchanceté par la crainte ou le sarcasme, mais aussi par une pitié qui n'exclut jamais la lucidité (« ils ne sentent pas toujours la rose », p. 84). Voir aussi les extraits des *Valeureux*, p. 198-199).

Dans *Le livre de ma mère* méchants et imbéciles, ou tout simplement personnages inconsistants, sont des silhouettes vite disparues. Le questionnaire qui suit vous aidera peut-être à vous les remémorer. Attention! Tous ces personnages ne sont pas forcément des « salauds » ou des « crétins », quelques individus plus sympathiques se sont glissés dans la liste. Les classer par catégories : ceux qui échappent à l'antipathie de l'auteur (pour quelles raisons?), et ceux qu'il juge sévèrement (pourquoi?). Mais les identifier d'abord. Les réponses sont à la fin du dossier.

1. « Son amour est variable à vue de nez. »

2. « Ce qui ne signifie pas qu'elle aurait été séduite par ce personnage à nez proéminent. »

3. « Cette anguleuse personne parle comme un perroquet. »

4. « On le savait réactionnaire, mais de là à se promener en fiacre ! »

5. « Vous êtes bien cupide, mon jeune ami... »

6. « En voici une qui s'extasie devant un savon. »

7. « C'est cousu de fil blanc : il complimente le fils pour embobiner la mère. »

8. « Encore le nez : le sien n'est pas busqué. Autre signe particulier : il est blond. »

9. « Elle reçoit un bouquet de fleurs, et elle n'a pas l'air contente ! »

10. « Elle aime bien le petit Albert, mais elle préférerait qu'il ne soit pas Cohen. »

L'amour de la vie

Ce livre est une ode funèbre, mais la méditation angoissée sur la mort n'efface pas, implicite ou explicite, le goût pour la vie et ses joies, même si elles sont relativisées par la menace de l'inévitable mort.

Quelques pistes de recherche :

● On pourra d'abord remarquer que l'angoisse de la mort laisse bien peu de place à la manifestation du désir de vivre. Tout un courant de pensées et de sentiments indique en effet dans l'œuvre que la mort triomphe de la vie pendant le déroulement même de celle-ci, qu'elle la rend dérisoire.

■ De ce point de vue analyser un mot clé : « farce » (p. 119). Partir du double sens du mot : un tour joué à quelqu'un, un type de comédie. Toute la page 119 illustre le premier sens (mais on le retrouve dans d'autres passages du livre; lesquels?). Sur l'hypothétique auteur de cette mauvaise farce : voir les chapitres XXI à XXIII. Trouver des passages qui expriment le second sens, notamment tout ce qui relève du grotesque de la comédie sociale.

■ Étudier la vision des hommes comme des morts en sursis (p. 104-110, etc.).

Dès lors le besoin de joie paraît « absurde » (p. 120). Il est pourtant vivace, et le texte met en évidence ses diverses formes.

● L'amour de la vie : un amour « honteux » ?

■ Repérer les échappatoires assez dérisoires par lesquelles l'auteur tente de repousser le malheur? (exemple p. 112-114). Par-delà leur ineptie apparente, se demander ce qu'elles traduisent de profond : à rapprocher, mais ce n'est pas la seule piste possible, du « divertissement » chez Pascal. (Un manuel, un recueil de textes du XVIIe siècle présentent les extraits et les commentaires nécessaires.) Ne pas limiter échappatoires et divertissement aux jeux. Analyser, par exemple, la phrase « Soudain [...] qu'il m'émeut » (p. 8-9).

■ Quand il s'agit d'une joie ou d'un bonheur plus substantiels : s'interroger sur le sens de la formule récurrente « péché de vie » (repérer les passages). Le dernier chapitre est très éclairant à cet égard.

■ « Les Juifs aiment un peu trop la vie » (p. 16). Que signifie « un peu trop »? Mais ce « trop » ne révèle-t-il pas aussi une sagesse?

● L'amour de la vie comme force contre la mort.

■ Le texte n'est pas seulement un chant de mort, mais un chant d'amour. Or, pour Cohen, vivre c'est aimer. Remarquer dans l'œuvre quelques passages dans lesquels cette assimilation est patente (exemple dès la page 9). La célébration de la vie ressort de celle de l'amour maternel dans le chapitre xxix. Étudier le chapitre dans cette optique.

■ Le bonheur ancien est révolu, mais rien ne peut faire qu'il n'ait existé. Étudier les souvenirs d'enfance, montrer l'intensité des sensations (même au niveau le plus simple, les aliments source de plaisir, etc.), observer les images qui traduisent la félicité.

■ L'écriture est une création, donc un acte de vie. « C'est un mouvement de vie, c'est-à-dire de joie » (p. 116). Même si un sentiment de culpabilité l'accompagne. Dans le style de l'auteur trouver des moments où la jubilation de l'acte d'écrire est évidente. Examiner aussi en quoi la rédaction de ce livre est, d'une certaine manière, une victoire sur la mort (mort de sa mère / mort de l'auteur).

4. DIVERS

Extraits des *Valeureux* ▪ Sujets de travail écrit ▪ Réponses au questionnaire ▪ Conseils de lecture.

Extraits des *Valeureux*

« Soudain me hantent les horreurs allemandes, les millions d'immolés par la nation méchante, ceux de ma famille à Auschwitz, et leurs peurs, mon oncle et son fils arrêtés à Nice, gazés à Auschwitz, jamais je ne pourrai parler à un de la nation enragée, jamais je ne pourrai retourner au pays de la nation enragée et entendre leur langue, la même qu'à Auschwitz, les yeux fixes de ma tante folle de malheur, elle les a attendus à la fenêtre, du matin au soir à la fenêtre, jusqu'à sa mort à la fenêtre, ils sont vivants, ils reviendront, répétait la folle à la fenêtre de la chambre meublée, la chambre qu'elle avait louée en face de la gare de Nice pour les voir arriver, pour les voir plus vite arriver, la folle à sa fenêtre, les peurs des miens aux beaux yeux, la peur de ma mère au temps de sa vie à Marseille, ma mère qui était tendresse et candeur, sa peur des Allemands, son attente chaque jour des coups frappés à la porte, coups de la Gestapo, coups allemands, coups méchants, coups attendus heure après heure, ses yeux en attente, son tremblement, sa sueur de peur, et il faudra ouvrir s'ils frappent, et ils entreront avec leurs vestes de cuir, et ils l'emmèneront, et elle ne me reverra plus, et moi j'ai le vertige, si vivante ma mère morte, j'ai le vertige, et à quoi bon écrire, et comment continuer à raconter les Valeureux, comment sourire ? Mais il faut continuer de vivre et sourire avec eux, continuer le péché de vie en attendant ma mort si proche, ma mort après la mort de ma mère, tous deux ensemble sous la terre, Maman » (Folio, p. 225/226).

« Non, pensait cependant Saltiel, non, il y avait sûrement de bons Allemands, des Allemands charmants qui pleuraient de voir maltraiter les fils d'Israël, beaucoup d'aimables Allemands, et il les aimait, de loin leur souriait, et soudain, avec un fracas de foudre en son âme, il s'aperçut qu'il aimait aussi, aimait de pitié les méchants Allemands qui faisaient tant souffrir ses frères juifs et qui ne savaient pas que c'était mal, pauvres méchants, qui étaient peut-être les bons fils de leurs mères, et qui croyaient que c'était bien de frapper et torturer, qui ne savaient pas qu'ils étaient méchants, pareils aux petits enfants, gentils petits enfants, qui arrachaient les ailes des mouches et riaient et ne savaient pas que c'était mal » (*ibid.*, p. 246).

■ **On pourrait intituler l'ensemble de ces deux extraits « La colère et la pitié ». Chercher d'autres titres possibles. Trouver dans *Le livre de ma mère* les passages les plus proches de ceux-ci par les sentiments qui les inspirent.**

Sujets de travail écrit

◆ Jacques Brenner, dans un article daté du 24 septembre 1954, écrit à propos du *Livre de ma mère* :

« ... nous le voyons composé pour deux tiers avec l'encre dont on fait les chefs-d'œuvre. Le dernier tiers empêche que l'ensemble soit effectivement un chef-d'œuvre ». Quelles peuvent être les raisons de cette réserve ? Partagez-vous les réticences du critique sur le dernier tiers du livre ? Peut-on le dissocier du reste ? Vous appuierez vos arguments par des références précises au texte d'Albert Cohen.

◆ Dans un compte rendu publié à la parution du *Livre de ma mère*, E. Henriot écrit : « Des livres de cette sorte, qui n'intéressent que le cœur, n'appartiennent pas à la littérature. » Certains sentiments sont-ils trop intimes ou trop forts pour être l'objet d'œuvres littéraires ? Si l'analyse du *Livre de ma mère* doit être au centre de votre étude, vous élargirez aussi votre réflexion à d'autres œuvres.

◆ À propos de *Ô vous, frères humains*, J.-D. Wolfromm admirait, en 1972, « la candeur originelle » et « la franchise dévastatrice » d'Albert Cohen. Ces expressions vous semblent-elles caractériser également l'inspiration et l'écriture du *Livre de ma mère* ?

◆ Amour maternel et amour filial peuvent être la source d'œuvres moralisantes ou d'un sentimentalisme facile. Pour quelles raisons *Le livre de ma mère* échappe-t-il aux conventions du portrait idéalisé d'une mère et aux banalités édifiantes sur l'amour filial ?

Réponses au questionnaire

Vous avez évidemment reconnu (bravo !) :
1. Juliette (p. 75) ; **2.** Le médecin au « pif majestueux » (p. 44) ; **3.** La comtesse, « crétine sans postérieur » (p. 68) ; **4.** Pétain (p. 94) ; **5.** Paul (p. 30) ; **6.** La petite commise (p. 56) ; **7.** « Le rusé tailleur » (p. 85) ; **8.** L'homme d'affaires escroc (p. 28-29) ; **9.** « La vieille dame à cabas et rubans » (p. 112) ; **10.** La Mère Supérieure (p. 31).

Conseils de lecture

◆ Vous trouverez la plupart des œuvres d'Albert Cohen dans la collection Folio. *Belle du Seigneur* est disponible en collection Blanche ou dans la Bibliothèque de la Pléiade (Gallimard). En liaison avec l'étude du *Livre de ma mère*, vous pourrez lire tout d'abord *Les Valeureux* (Folio n° 1740) — où vous trouverez plusieurs échos des thèmes du *Livre de ma mère* — et *Ô vous, frères humains* (cf. « Place dans l'œuvre »).

◆ Les figures maternelles sont innombrables dans la littérature. On se risque pourtant à indiquer quelques écrivains qui ont laissé des portraits inoubliables de leur mère : Charles-Louis Philippe, *La mère et l'enfant* (Folio n° 1509) ; Colette, *Sido* ; Camus, *L'envers et l'endroit* (Folio Essais n° 41) ; Sartre, *Les mots* (Folio n° 607). Sur le thème de la mort de la mère : *Une mort très douce*, de Simone de Beauvoir (Folio n° 137).

Pour en savoir davantage :

◆ Les deux volumes de la Bibliothèque de la Pléiade proposent des introductions, des notices et des notes précieuses. Le volume consacré à *Belle du Seigneur* comporte une chronologie détaillée de la vie d'Albert Cohen.

◆ On pourra aussi se reporter au n° 261 (janvier 1989) du *Magazine littéraire*, qui contient un dossier sur Albert Cohen (en particulier un article très éclairant d'Albert Bensoussan).

◆ L'étude de Bella Cohen, *Autour d'Albert Cohen* (Gallimard, 1990), apportera de nombreuses précisions sur la personnalité d'Albert Cohen.

DU MÊME AUTEUR

Aux Éditions Gallimard

SOLAL, roman (Folio n° 1269)
MANGECLOUS, roman (Folio n° 1170)
LE LIVRE DE MA MÈRE, (Folio n° 561 et Folio Plus n° 2)
ÉZÉCHIEL, théâtre
LES VALEUREUX, roman (Folio n° 1740)
Ô VOUS, FRÈRES HUMAINS, (Folio n° 1915)
CARNETS 1978, (Folio 2434)

Dans la Bibliothèque de la Pléiade

BELLE DU SEIGNEUR
ŒUVRES

Composition Euronumérique.
Impression Société Nouvelle Firmin-Didot
à Mesnil-sur-l'Estrée, le 27 novembre 2000.
Dépôt légal : novembre 2000.
1er dépôt légal dans la collection : août 1995.
Numéro d'imprimeur : 53722.

ISBN 2-07-039356-9/Imprimé en France.